S'HARMONISER

OASIS channelé par

34

Catalogage avant publication
Oasis (Esprit)
S'harmoniser (Oasis ; 34)
1. Écrits spirites. 2. Espace et temps - Miscellanées. I. Robert, J. 1950- . II. Titre. III. Collection : Oasis (Éditions Berger) ; 34
BF1311.O27O2742004 133.9'3 C2004-942193-X

34-S'harmoniser

1233, route 112, Eastman (Québec) J0E 1P0
Téléphone : (450 297-1344 Télécopie : (450) 297-2020
Sans frais : 1-877-276-8855
editeur@editionsberger.qc.ca • http://www.editionsberger.qc.ca

Dépôts légaux : 3e trimestre 2004
Bibliothèque nationale du Québec et du Canada
Bibliothèque nationale de Paris
Ministère de l'intérieur de France

ISBN 2-921416-65-4

Canada : Diffusion Raffin, 29, rue Royal, Le Gardeur (Québec) Canada J5Z 4Z3
Téléphone : 450-585-9909; télécopie : 450-585-0066
Sans frais : 800-361-4293

France, Belgique : D.G. Diffusion Livres
Rue Max Planck, C.P. 734, 31683 Labège Cedex France
Téléphone : 05-61-000-999 ; télécopie : 05-61-00-23-12

Suisse : Servidis, 2, rue l'Étraz, 1027 Lonay Suisse
Téléphone : (021) 803-26-26 ; télécopie : (021) 803-26-29

Imprimé au Canada
1 2 3 4 5 HLN 2008 2007 2006 2005 2004

S'harmoniser

Ne vous attardez pas aux mots... Recherchez en vous les échos des propos que nous tiendrons. Si vous n'y comprenez rien au début, laissez venir : vous en viendrez à tout comprendre. Nous avons tant à vous dire ! Mais nous ignorons si la voix de cette forme [Robert] nous le permettra. Comment mettre en place toutes ces connaissances que vous avez reçues ? Comment comprendre tout cela ? Quelle est donc cette réalité, non seulement ce que vos formes représentent, mais aussi vos Âmes, les Entités et les Cellules ? De quoi sont-elles faites ces Entités ? Quelle est donc cette relation qui fait que votre monde matériel, les objets, existent aussi ? Combien de fois, dans le passé, n'avons-nous pas dit : les Cellules dans l'Ensemble sont comme vos formes ; et vos formes dans l'Ensemble sont comme tout ce qui vit. Nous n'avions pas alors l'autorisation de vous révéler ce qui les reliait. Maintenant, c'est chose faite, et le but de cette session est de vous le révéler. Lorsque nous aurons terminé nos propos, nous pourrons répondre à ceux parmi vous qui ont des questions à ce sujet. Et si le temps le permet, nous passerons aux questions que vous avez préparées... enfin, à celles qui n'auront pas eu de réponses.

Depuis le début des temps, vous n'avez recherché qu'une chose : qui est Dieu, quelle est la réalité. Pour cela, il y a eu des religions. L'une d'elle vous apprend que Dieu créa l'homme à son image. Pour ceux qui ne pratiquent pas cette religion, vous veniez du singe, etc. Où donc se trouve la vérité ? Que vous êtes à l'image de Dieu. C'est ce que nous vous disons depuis le début. Mais, encore une fois, c'était trop général, pas assez spécifique. Pour bien comprendre ce que vous êtes, il vous faut admettre que vous vivez dans un monde où il y a quatre dimensions. La première dimension est celle qui vous préoccupe le plus au niveau des connaissances : c'est tout qui est observable, de la poussière au Soleil, tout ce qui est compris entre ces formats ou grandeurs, tout ce qui est visible. Ne vous leurrez pas : vous avez toujours mis des normes sur ce que vous pouviez voir ! La première dimension est donc celle qu'il vous est facile d'observer, au microscope ou à l'oeil nu. La deuxième dimension constitue un monde que vous ignorez totalement : celui de l'infiniment petit, de l'ordre des atomes. Vous verrez les relations que cela aura tout à l'heure. Par contraste, il y a une troisième dimension, un autre monde : celui de l'infiniment grand, l'Univers. Ne vous illusionnez surtout pas : ce que vos scientifiques ont découvert n'est rien ; ils n'ont rien vu de ce qu'est réellement l'Univers. Où se situe votre niveau de conscience ? Disons dans le milieu de tout cela.

Vous avez donc appris à vivre avec et ce que vous n'arriviez pas à comprendre, vous deviez l'analyser avec des formulations ou d'autres moyens. Il faut que la science approuve ! C'est le cheminement que vous avez choisi, celui de l'apprentissage par la recherche. De notre côté, nous aimerions sauter des étapes parce qu'actuellement vous les brûlez. Souvenez-vous... Combien de fois n'avons-nous pas mentionné que, pour la majorité, vous en êtes à l'automne de vos vies ; il vous reste un peu plus de six de vos années et encore ! Rappelez-vous, nous avons dit que c'était le temps du ménage. C'est ce que vous faites habituellement au printemps, vous faites de la place. Et c'est effectivement ce qui se produit : vos sociétés font de la place. Dans le passé, au risque de nous répéter, combien de fois n'avez-vous pas appris seulement lorsqu'il y avait souffrance, douleur ? Il semble que ce soit comme cela que vous appreniez le mieux, que cela justifie votre apprentissage. Vous avez appris à vous faire soigner ? Nous allons vous apprendre à vous soigner. Ce ne sera peut-être pas facile à comprendre mais, nous le répétons, ne faites aucun effort. Laissez entrer ces mots en vous, vous les comprendrez tôt ou tard. Nous allons aussi vous mettre en garde contre ce qui se passe actuellement dans vos milieux de vie respectifs : les pollutions actuelles par les champs magnétiques, les ondes nocives. Nous savons que ces pollutions n'ont pas encore atteint le summum de ce que vous pourrez endurer mais, pour plusieurs, c'est déjà le cas.

Que de phénomènes inexplicables pourrez-vous comprendre après ces explications ! Ne tentez pas de tout expliquer aux autres, gardez cela pour vous dans un premier temps ; cela va même modifier plusieurs formes. Donc, nous vous avons dit que votre conscient était adapté à ce que vous pouviez voir parce que c'est ainsi que vous avez appris à croire ; il vous faut toucher pour croire. Lors de la fin de semaine que vous avez eue avec nous, nous avons démontré par différents moyens qu'il était possible de ressentir ce que vous ne pouviez voir. Nous l'avons fait dans un but très précis : vous permettre de comprendre ce qui va suivre.

Dans le passé, nous vous avons dit que nous ne ferions rien qui ne soit utile, pas de mots perdus. Donc, il va falloir que vous réorientiez votre façon de penser dans les mois à venir, sinon vous ne comprendrez pas ce qui se passera dans ce monde.

Nous allons en surprendre plusieurs. Vous avez toujours cru que l'espace existait, même les distances entre vous... Elles n'ont jamais existé ! Nous vous avons dit que le temps n'existait pas pour nous mais que, pour vous, c'était une façon de savoir où vous en étiez : des heures, des jours, des mois, des années. Comme c'était linéaire, cela vous permettait de connaître votre cheminement. Rappelez-vous : ce que vous voyez, vous le croyez. Il faut commencer dès maintenant à comprendre qu'aucune distance n'existe, pas plus dans vos formes que dans la matière.

Prenons la matière par exemple : il n'y a pas un seul objet qui n'ait de l'énergie. Les objets ont eux aussi quatre dimensions. Vous en voyez l'ensemble, du moins l'harmonie de l'ensemble. Comparez-les à vos formes : c'est la même chose. Qu'en est-il réellement ? Nous avons parlé d'un simple objet, de ce que vous pouviez voir. Mais qu'en est-il si vous disséquez un objet quel qu'il soit ? Vous le faites disparaître tout à fait. C'est la même chose avec vos formes, si vous le voulez vraiment. C'est une grande possibilité qui vient avec la compréhension. Considérez vos propres formes : vous en êtes rendus à chercher ce qui peut causer la maladie. Il est difficile en fait de trouver des remèdes à ce qui est incompréhensible. Lorsque nous vous avons dit que les formes dans les hôpitaux communiquaient entre elles, nous ne parlions pas de communication par la voix, mais de communication entre les cellules ; nous irions même jusqu'à dire que la communication se fait au niveau des atomes des formes. C'est en le comprenant que vous pourrez vous comprendre ; c'est la seule façon. Qu'est-ce qui crée ce que vous êtes ? Qu'est-ce qui fait que vos formes ont cette forme actuellement, cette apparence ? Une seule chose : l'harmonie au niveau des cellules. En voulez-vous une preuve ? Regardez les formes qui ont le cancer : c'est la complète anarchie ! Vous êtes tellement portés à ignorer vos forces ! C'est incroyable !

Lorsque nous parlions des pensées... Tellement de gens vous ont dit : vous serez ce que vous penserez. Qu'est-ce que cela veut dire ? Qu'est-ce que cela cache ? Cela dit que vous subissez les résultats de vos pensées, bien sûr, mais comment peut-il en être ainsi ? C'est que vous êtes des êtres qui fonctionnent avec des espaces inexistants, que vous croyez fonctionner avec un ensemble, mais en fait c'est beaucoup plus vaste que cela ! Ceci va vous surprendre : il n'y a pas une seule forme de vie, de la plante à l'être humain, qui ne fonctionne au niveau de l'atome même. Si les plus petites particules de vos formes devaient toutes se séparer, vous disparaîtriez ; vous n'existeriez plus. Elles sont indissociables ! Nous vous le disons parce que c'est de l'énergie pure, parce que c'est l'harmonie au niveau des atomes de vos formes qui crée vos cellules et crée vos formes. C'est de l'énergie qui communique, qui a même le pouvoir de choisir entre vivre et mourir. En fait, la communication au niveau des atomes de vos formes – nous dirons au niveau des cellules, cela vous simplifiera la tâche... En fait, la communication entre les ensembles cellulaires de vos formes est tellement puissante qu'elles décident d'elles-mêmes quelles cellules doivent mourir et lesquelles doivent vivre. C'est un monde intérieur et vous êtes le reflet de cette harmonie. Si vous appreniez à vous servir de votre cerveau, vous sauriez que cet outil ne sert qu'à vous communiquer à nouveau l'ensemble et le résultat de ce qu'elles vivent. Lorsque nous vous disons de vous fier à votre intuition, cela comprend, bien sûr, les messages que vos formes vous envoient. Cela comprend aussi l'énergie de l'Âme, mais nous ne mélangerons pas cette énergie avec celle de vos formes car vous n'êtes pas prêts à le comprendre ; nous le ferons un peu plus tard dans cette session. Donc, l'intuition comprend la totalité de ce que votre forme vit, à partir des atomes et des cellules qui, à leur tour, composent les organes et les membres. Il y a un complet accord entre les cellules. Nous avons dit que nous étions un peu comme vos formes, comme l'Univers. C'est la même chose au niveau des cellules de vos formes. Dès que l'une d'entre elles est malade, elle décide si elle doit continuer d'exister ou si elle doit faire place à d'autres. Et vous n'avez même pas à y penser. L'énergie de vos formes est une énergie totalement intelligente ! Lorsque nous vous avons parlé des gens qui reçoivent des organes, nous avons même décrit ce que les cellules de ces formes vivaient. C'était aussi l'intelligence des formes, et aucune pensée n'aurait pu changer ce que les cellules avaient décidé, ce que cette énergie globale avait décidé.

Le pire, c'est que vous ignorez la force d'une pensée ! Vous savez que vous serez ce que vous penserez, d'accord, mais vous croyez qu'une pensée est une image. Vous aurez beau imager, vous n'obtiendrez pas davantage. Comprenez bien qu'une pensée, c'est de l'énergie redistribuée dans votre forme. Si vous ne faites que penser dans votre tête, rien ne se passera. Mais si vous y ajoutez les sentiments, les émotions, le vécu, vous reprogrammez votre forme chaque fois, dès et aussi rapidement qu'elle le ressent. Chaque fois que vous pleurez de tristesse sur vous-mêmes, cela reprogramme votre forme et la punit bien souvent.

Comprenez bien qu'à l'avenir, vous serez ce que vous ressentirez dans vos formes, non pas parce que votre cerveau l'aura décidé, mais parce qu'il vous aura retourné la réponse et que vous aurez commencé à réagir. Mais vous réagissez pour l'ensemble, et c'est une erreur. L'ensemble de votre forme va réagir mais, encore une fois, c'est chaque cellule et chaque atome qui réagit de façon individuelle, comme les personnes dans ce groupe d'ailleurs. Vous aurez des réactions diverses, selon vos expériences, selon ce que vous aurez compris. Au niveau des cellules de vos formes, c'est la même chose. Chaque atome est relié, chaque cellule est reliée. Ce ne sont que des compositions qui se tiennent ensemble harmonieusement ; vous êtes portés à l'oublier.

L'Univers fonctionne de la même façon. Nous n'inclurons pas les êtres humains dans l'Univers puisque vous êtes déjà un monde par vous-mêmes. Ne vous êtes-vous jamais demandé ce qui faisait que les planètes, avec leur poids, tenaient en place ? Et s'il y avait une organisation très similaire à celle de vos formes qui faisait que tout se tenait ? Comprenez que c'est identique à vos formes et que l'espace n'existe pas. Pour vous le faire comprendre, disons que c'est le monde du très grand, de tout ce qui est énorme, de tout ce qui peut dépasser votre compréhension. Nous vous avons dit que les cellules de vos formes, jusqu'à l'infiniment petit, se retenaient entre elles lorsqu'il y avait harmonie et que cette harmonie créait la forme même de tout ce qui vit dans le monde que vous pouvez observer. Si vous pouviez agrandir cela dans votre tête, vous verriez que l'Univers, cet espace qui selon votre pensée actuelle existe entre les planètes et les étoiles, n'est créé que par leurs déplacements. En fait, ce n'est pas un espace qui est créé, c'est un lien. Certains diront : « Mais c'est de la gravité ! » Très bien. Tentez de faire cela avec une simple bille et vous verrez qu'elle ne flottera pas ; trois billes non plus. Il n'y a pas de distance dans l'Univers, pas plus que dans vos formes, mais vous ne pouvez voir l'Ensemble que cela représente. Prenez quatre dimensions et n'en faites qu'une : c'est cela l'Ensemble. Plusieurs diront : « Mais où se trouve Dieu dans tout cela ? » Il vous a été appris que Dieu était partout à la fois. Dans vos plus vieux livres, Dieu voyait tout. N'avez-vous jamais pensé que cela voulait dire que s'il voyait tout, c'est qu'il était tout, même ces faux espaces qui sont en fait de l'énergie déplacée entre des formes ? C'est le milieu où nous vivons, c'est notre monde. C'est énorme pour vous, pas pour nous. Certains d'entre vous se demandaient constamment : « Où vivent les Cellules ? Où vivent les Entités ? Et où vivent nos Âmes ? » Dans ces faux espaces. En ce sens, il est normal que nous soyons partout, que les distances n'existent pas puisque nous ne les créons pas dans nos déplacements : ce n'est que pour la matière.

Encore une fois, comprenez que, si ce n'était d'une coordination de l'énergie, la matière elle-même n'existerait pas non plus. C'est cela la réalité. Vous vivez dans un monde où vous avez appris à créer des lieux, des endroits, des distances ; vous avez fixé des repères mais ils sont faux, complètement faux. Regardez ce qui se passe au niveau de vos formes, votre vieillissement prématuré. En effet, pour nous, mourir à 90 de vos années, c'est prématuré. Nous vous l'avons dit, mais vous ignorez tellement de choses de vos formes que vous les faites vieillir. Qu'est-ce que cela veut dire ? Cela veut dire une seule chose : vous êtes de grands communicateurs. Même face à vous-mêmes, vous arrivez à donner des ordres et les cellules vous obéissent ; elles augmentent leur taux vibratoire ou le diminuent. Lorsque nous vous disons que la forme devant vous [Robert] est une vieille forme, c'est que depuis qu'elle travaille avec nous, pour nous, elle a tellement baissé son cycle vibratoire que ses cellules ne se reproduisent plus ; maintenant, elles ont appris cela. Vieillir, c'est cela. C'est énorme ce que nous venons de vous dire. Nous espérons que vous le comprenez bien. Comme nous l'avons mentionné au début de cette session, les pollutions extérieures par les ondes et les champs magnétiques altérés, qu'elles soient locales, continentales ou planétaires, sont à ce point grandes actuellement que les cellules, les atomes de vos formes – rappelez-vous que c'est la base même – ont déjà changé leur programmation de force. En changeant leur taux vibratoire dans l'accélération actuelle, que se passe-t-il ? Cela dépasse la simple volonté ; cela dépasse même le conscient. Ce sont des programmations forcées que vous recevez. Lorsque cela se produit, vos cellules, de par leurs atomes, augmentent leurs vibrations et sont ainsi détruites malgré elles.

C'est la même chose au niveau de l'Univers. Pourquoi, croyez-vous, avons-nous choisi la période actuelle pour faire autant de vérifications de ce que vous faites ? Pourquoi avons-nous fait en sorte que d'autres mondes se rapprochent du vôtre ? Autant pour nous protéger que pour vous protéger. Tout comme un changement dans vos formes crée des changements au niveau de l'apparence même, une seule planète peut complètement déséquilibrer l'Ensemble au niveau de l'Univers. Votre planète est comme un cancer actuellement et nous ne pouvons permettre cela dans votre coin d'Univers, même s'il est minime et même si, dans l'Univers entier, votre planète ne représente qu'un atome, pas plus ! Pour ceux qui ne le savent pas, votre planète ne se voit pas à l'oeil nu ; dans l'Univers, vous êtes un atome. En cela, le très grand ressemble à l'infiniment petit ; seules les échelles de grandeurs changent. Un seul changement au niveau d'un atome changerait la structure entière. Si un tel changement était permis, il y aurait aussi des changements similaires dans d'autres mondes par réaction. Rappelez-vous que l'espace entre ces mondes n'existe pas : tout cela communique ensemble. Si vous pouviez ne serait-ce qu'entendre ces vibrations, vous seriez transportés ! En fait, c'est l'Univers entier qui communique ensemble, la matière elle-même. Un seul changement, et c'est l'Univers entier qui se rechange ! Vous nous direz : comment se fait-il qu'il y ait des étoiles qui implosent, des planètes qui entrent en collision ? C'est très simple. Vous avez un système immunitaire ? Nous avons le nôtre. Lorsque nous voyons survenir des changements, nous n'avons pas toujours le choix. Habituellement, ce ne sont pas des mondes habités, mais cela se produit. Tout est pareil... Si vous étiez à l'extérieur de votre monde, plus vous vous en éloigneriez, plus vous verriez l'Ensemble ; plus vous verriez que ces espaces n'en sont pas puisque vous ne vieillissez pas sans l'attraction même que crée votre monde actuel.

Pour nous exprimer plus clairement dans tout cela, nous avons mis en relief, ou en parallèle, vos formes dans l'Ensemble et l'Univers dans l'Ensemble. S'il fallait disséquer une forme jusqu'à sa plus petite partie, vous y verriez l'Univers, c'est certain, avec tout ce qui peut graviter. Dieu vous a faits à son image ? C'est vrai. Vous êtes comme l'Ensemble. Ce qui est encore plus intéressant, c'est que vous réagissez comme un ensemble, comme l'Univers : vous vous détruisez dans certaines parties de vos formes, vous êtes bien dans d'autres. Toute votre forme communique avec elle-même. Rappelez-vous : chaque atome de vos formes est intelligent, et il y en a des milliards. C'est la même chose au niveau de l'Univers : tout se sait parce que tout communique ensemble. Voyez l'importance de bien comprendre que si tout communique dans l'infiniment petit ainsi que dans l'infiniment grand, ce n'est plus une question de format, de grandeur, ni d'espace puisque cela n'a jamais existé. Tout cela est donc de la communication, mais pas une communication comme celle que vous imaginez.

Regardez-nous par contre ; tout ce que cette forme [Robert] reçoit, ce sont des formes d'impulsions, des formes d'énergie que son cerveau décortique en images, et ces images deviennent la parole. Il y a des millions d'impulsions pour une simple image. C'est comme cela que nous communiquons, et c'est comme cela que vos formes communiquent entre elles, pas avec la pensée telle que vous la comprenez. Vous pouvez les détruire et vous pouvez les aider. Tout dépendra de ce que vous aurez appris de l'écoute de vous-mêmes. Plusieurs scientifiques écoutent l'espace. Nous vous disons d'écouter l'intérieur de vos formes. Traduisez cela par : écoutez vos intuitions, écoutez l'état total de la forme, car sans elle vous n'existez pas. On vous a appris que vous retournerez en poussière. À moins que nous nous trompions, c'est de l'infiniment petit. Donc, que ce soit de l'infiniment grand ou de l'infiniment petit, c'est la même chose. Combien de fois n'avons-nous pas dit que chaque nouvelle pousse d'un arbre est aussi neuve, aussi vivante que la feuille qu'elle remplace ? Dans vos formes, c'est la même chose. Chaque cellule est normalement remplacée par une cellule neuve, à moins que vous n'ayez fixé des mois, des années à vos vies et que vous les ayez habituées à vieillir, comme c'est le cas actuellement. Donc, nous nous situons dans un faux espace créé par la matière elle-même, et vos Âmes ne se situent pas non plus dans un endroit spécifique de vos formes : c'est une énergie parallèle à la vôtre. Encore une fois, comprenez qu'il ne s'agit pas de l'énergie d'une pensée, mais de l'état complet de la forme. Ceux parmi vous qui ont ressenti leur Âme, qui vivent des états d'être, nous dirions même altérés (des jouissances personnelles à ce niveau), ne le vivent pas au niveau du cerveau : c'est la forme entière qui le vit. Votre cerveau ne fait que retraduire ; c'est un moyen de compréhension. Si vous n'apprenez pas cela, vous allez simplement vous détruire, et ce serait fort dommage.

Vous aurez maintenant compris que l'énergie de chaque atome de vos formes communique à votre cerveau l'état général. Et l'Âme dans cela ? Rappelez-vous que ces atomes, dans leurs déplacements, créent de l'énergie, votre énergie physique ; en se déplaçant – comme les mondes, comme tout ce qui est dans l'Univers d'ailleurs –, ils créent de faux espaces. Nous disons de faux espaces parce que selon votre façon de concevoir le monde, ces espaces existent. Mais s'ils ne sont créés que par les déplacements, ils sont tous interreliés, sinon l'Univers entier s'effondrerait. Au niveau de vos formes, l'Âme se situe aussi dans les déplacements. Donc, elle est dans votre forme complète, selon ce que vous aurez appris d'elle. Il vous est facile d'appeler cela une Âme, mais c'est une énergie consciente, très consciente, même de vos vies passées... avec d'autres formes, bien sûr ! C'est cela qui programme vos formes. Vous rejetez cela ? Vous rejetez plus de 50 % de votre réalité et vous ne profitez que de 50 % de l'énergie de vos formes !

La vie, c'est une expérience que vous vivrez à deux, la forme et l'Âme, votre énergie et cette autre énergie qui est en vous. Encore une fois, comprenez ce que cela veut dire : comme votre Âme est dans les déplacements entre la matière elle-même, même entre les atomes, entre les cellules de vos formes, elle peut donc communiquer et retransmettre à l'énergie propre de vos formes toutes les données nécessaires, toutes les réponses que vous souhaitez. Vous pouvez vous concentrer sur certaines parties de vos formes si vous le souhaitez, concentrer cette énergie au même endroit si vous voulez, mais c'est le conscient qui créera cet effet. L'Âme est dans toute votre forme. Est-ce que cette énergie peut sortir de vos formes ? Mais tout à fait. Entre la matière, tout ce que vous appellez espace ou distance et qui n'existe pas mais qui se retient – ce qui crée l'harmonie dans la matière d'ailleurs –, c'est là que vous nous trouverez, et c'est cet ensemble qui fait que toutes ces énergies s'harmonisent. Vous pourriez chercher cela, sans comprendre, pendant des milliards d'années, et vous ne trouveriez rien. Vous en arriveriez même à croire que Dieu, en fait, n'est que dans vos têtes. Vous ne pouvez voir vos pensées et pourtant elles agissent dans vos formes : c'est de l'énergie que vous créez à partir d'images, c'est votre façon de communiquer avec l'infiniment petit en vous. Nous allons maintenant faire une pause pour ceux qui auraient des questions à nous poser à ce sujet.

Consciemment, est-ce qu'il est bon de favoriser le fait que l'on sente notre

Âme partout à travers le corps dans des moments décisifs, de faire en sorte de l'augmenter ?

Tout à fait ! Plus vous en deviendrez conscients, plus vous serez conscients de toutes ces autres énergies qui vous entourent. En réponse à vos questions sur les guides, nous vous avons appris qu'ils étaient des Entités qui vous observaient mais qui n'entraient que très rarement en contact avec vos formes. Comment est-ce possible selon vous ? De la même façon que vous venez de nous poser cette question, par interrelation consciente de niveaux d'énergie. Rappelez-vous votre réaction avant le début de cette session : cela voulait dire que vous avez compris, en vous, que vous faisiez partie d'un tout et que ce tout était disponible, comme il l'a toujours été. Lorsque vous serez conscients de ce qu'est l'Âme, de l'endroit où elle se situe dans votre forme – donc dans toute votre forme –, lorsque vous saurez la différence entre l'énergie de la forme et celle de l'Âme, lorsque vous apprendrez à les différencier, vous aurez le choix de vivre deux dimensions, et de façon consciente. Alors, vous pourrez aussi bien communiquer avec des Cellules comme nous, lorsque votre forme sera en état de le faire, lorsque les cellules de votre forme l'auront accepté, qu'avec d'autres Entités, d'autres énergies qui sont autour de vos formes et entre ces mondes. Rappelez-vous, vous êtes aussi interreliés dans vos formes que la matière l'est dans l'Ensemble ; et comme vous devenez matière dans l'harmonie même, vous faites partie du tout, autant de ces faux espaces que des espaces que vous croyez exister.

Quel est le taux vibratoire idéal pour nos cellules et comment le conserver ?

Vos taux vibratoires sont altérés actuellement par vos technologies, notamment par un certain satellite placé dernièrement juste au-dessus de votre continent. Nous vous avons mis en garde il y a près de trois mois contre ce que ce satellite peut créer dans vos formes entre 13 heures et 16 heures. Pas une forme n'y est insensible. Ce satellite a été créé pour l'étude des sous-sols. Les ondes émises pour sonder les sous-sols passent aussi à travers vos formes et de façon tellement forte que plusieurs cellules en perdent même leur programmation. Ne cherchez pas seulement à l'intérieur de vous les causes des maladies : il y en a aussi à l'extérieur. Donc, vos vibrations s'en trouvent modifiées. En plus de ces ondes néfastes, vos propres pensées modifient constamment votre taux d'énergie, ce qui fait que votre taux vibratoire change constamment. Vous pourriez être en amour et, deux secondes après, ressentir de la haine ou de la colère. Que vous arrive-t-il en fait ? Vous vous éloignez ou vous vous rapprochez d'un taux vibratoire idéal. Si on se réfère à la question précédente, lorsqu'une personne est consciente de la valeur de l'énergie de l'Âme, de ce pouvoir qu'elle a en elle, elle adapte les cellules de sa forme à reconnaître les vibrations de cette énergie. Et il est ensuite pratiquement impossible de les modifier de nouveau. Il s'agit donc de prendre l'empreinte de l'énergie de l'Âme, de l'adapter et de vous en servir. Donc, votre question... C'est un peu comme tout ce qui peut relier l'Univers : changeant. Était-ce le but de cette question ?

Est-ce qu'il y aurait moyen de conserver une énergie idéale, d'aller chercher cette énergie-là ?

À part certains moyens artificiels comme ces appareils qui rétablissent d'une certaine façon le champ magnétique de vos formes, de façon individuelle, il n'y a pas beaucoup d'autres moyens, si ce n'est le fait d'être très conscient et de vivre à un point de conscience tel que ce n'est plus l'énergie de votre forme mais celle de votre Âme – donc l'énergie qui retient l'harmonie de tout – qui prendra la relève. Pourquoi avons-nous tant insisté sur l'importance de ressentir l'Âme en vous et, lors de cette fin de semaine avec nous, de nous ressentir ? C'était pour vous forcer à vous ressentir au plus profond de vous, à passer outre à cette foutue habitude de tout analyser et de tout vouloir diriger dans votre vie. Vous avez tellement employé l'énergie à toutes les sauces que vous en venez à croire que vous avez plusieurs types d'énergie dans vos formes. C'est de la foutaise ! Vous n'avez qu'un seul type d'énergie. Bien sûr, il peut y avoir blocage, mais il y a des raisons aux blocages. Lorsque vous évitez de découvrir ces raisons, lorsque vous vous appuyez uniquement sur vous-mêmes, sur le conscient, c'est à ce moment-là que vous commettez une erreur puisque vous habituez vos formes à des taux vibratoires qui ne vous donneront jamais vos réponses. Effectivement, pour répondre à votre question à deux volets, vous pouvez facilement vous prémunir de façon individuelle contre les modifications forcées de vos taux vibratoires grâce aux moyens mécaniques déjà mentionnés [harmoniseur de fréquences], ou vous pouvez le faire de façon très consciente. Nous vous le disons tout de suite, cela demande un suivi de chaque instant. C'est vivre avec une partie de votre conscient, bien sûr, mais un conscient conscient non pas des connaissances mais de ce qu'il peut retraduire. Voilà ce qu'est votre cerveau : un traducteur, un traducteur entre l'énergie même et le compréhensible, le quotidien, le conscient. Nous espérons que ce sera très clair cette fois. Lorsque vous vous mettez à penser, même en vous forçant pour prier, comprenez-vous maintenant pourquoi ce n'est pas entendu ? Vous ne dirigez pas ces demandes au bon endroit. Ne cherchez pas un ciel ou un paradis physique, vous l'avez déjà en vous, mais vous ne l'utilisez pas. Vous le labourez par contre. Vous le labourez avec des pensées qui ne sont pas toujours ajustées ; vous avez aussi appris à vous plaindre, à ne pas utiliser cette force que vous avez, mais à la chercher à l'extérieur de vous. Dites-vous bien ceci : lorsque vous implorez Dieu, vous implorez l'Ensemble. Et lorsque vous implorez l'Ensemble, vous implorez tout ce qui harmonise la matière elle-même, tout ce qui empêche vos mondes de s'effondrer. Lorsque nous disons « vos mondes », nous pensons aux planètes, en fait, à tout ce qui est astre. C'est cela qui se passe. En fait, nous venons de vous dire que vous avez la même chose en vous, la même énergie. Elle est moins concentrée que la nôtre puisqu'elle est occupée dans une forme, mais son but est le même : se faire traduire. Nous vous avons toujours dit : « Le but de la vie, c'est de rendre l'Âme consciente de la forme et de rendre la forme consciente de ce qu'est l'Âme ». Lorsque les deux profiteront de cette conscience mutuelle, l'Âme ne reviendra plus. Comprenez-vous maintenant ? C'est cela votre réalité, la réalité de vos vies, la réalité de l'Univers. Ne compliquez pas davantage les choses. Vous êtes toutes et tous interreliés. Même entre vos formes, les espaces n'existent pas actuellement puisque c'est dans ces faux espaces que l'énergie existe et c'est ce qui explique que vos mondes existent aussi. Si nous devions permettre l'anarchie à ce niveau... Il vaut mieux être énergie que forme vivante.

Est-ce que les avantages émotifs sont supérieurs aux désavantages quand on entraîne le conscient à intensifier le ressenti de l'Âme dans la forme ?

Le problème, c'est que, lorsque ces énergies que vous appelez Âmes ont choisi de s'exprimer dans des formes, elles n'ont pas choisi des formes ayant subi des altérations par des drogues : elles les ont eues conscientes. Bien sûr, vous pouvez altérer vos niveaux de conscience par des drogues ; vous pouvez aussi le faire avec des moyens mécaniques, par impulsions visuelles et auditives ; vous pouvez même le faire par une méditation très profonde. Mais vous oubliez une chose importante : l'expérience. Nous aurions considéré comme une tricherie qu'une Âme réussisse à se faire entendre d'un cerveau en lui communiquant la possibilité de le faire en entrant dans des niveaux de conscience altérés qui feraient en sorte qu'elle soit perçue au niveau de la matière. Ce serait tricherie et tromperie et cela ne compte pas, pas pour nous ! Elles ont eu des formes avec des énergies propres et elles doivent les rendre comme elles les ont eues, c'est-à-dire non altérées ! Est-il possible pour une forme d'acquérir une conscience de l'Âme et d'en conscientiser la présence au point de la vivre à l'aide de moyens artificiels tels que la drogue ? La réponse est oui. Et pas nécessairement avec des drogues très fortes puisque vos cerveaux fournissent eux-mêmes ces drogues de façon naturelle. C'est cela la méditation. Chez ceux qui méditent profondément, qui ont maîtrisé leur forme par des techniques, le cerveau sécrète toutes les substances chimiques nécessaires pour leur faire vivre ces dimensions. D'où l'avantage des méditations pour plusieurs. Certaines personnes vont chercher à méditer toute leur vie et vont y perdre beaucoup de temps – nous parlons de temps pour vos dimensions, pas la nôtre – alors que d'autres vont vivre des expériences très profondes. Il y a effectivement plusieurs moyens de percevoir cette autre énergie en vous, mais ils ne vous permettent pas d'utiliser cette énergie. Vous ne percevez alors qu'une moitié seulement de vos réalités, vous êtes une moitié. Et comme vous êtes une moitié inconsciente, vous ne pouvez pas utiliser l'énergie de l'Âme dans ces états. Vous avez l'impression d'y baigner – lorsque nous disons cela, nous ne mentionnons que le conscient –, mais en fait, c'est l'énergie même de votre forme qui est retraduite par le cerveau et qui vous donne cette impression. En fait, vous êtes toujours dans votre forme, mais vous ne pouvez pas commander cette énergie et elle ne peut pas commander non plus, car elle sait que la forme n'écoutera pas. Il n'y a qu'un pas à franchir pour comprendre pourquoi certaines personnes s'enlèvent la vie lorsqu'elles sont dans ces états altérés. Lorsque ces énergies, celle de l'Âme entre autres, deviennent hyperconscientes dans la forme, trop de données surgissent en même temps et vos cerveaux ne savent pas les traduire. Bien souvent, cela vous dépasse et tout ce qui vous dépasse vous change... de force ! Plusieurs choisissent alors de s'enlever la vie ; d'autres le font de façon très consciente. Comment expliquer le suicide ? Vous pourriez trouver mille raisons ayant poussé certains individus à se suicider : leurs malheurs familiaux, etc. Ne vous est-il jamais venu à l'idée que ces formes en arrivaient aussi à percevoir d'autres niveaux intérieurs en eux et qu'en fait, ce sont ces niveaux qu'elles n'ont pu traduire, qui leur ont donné le courage d'affronter la réalité de la vie elle-même. Disons que vous ne maîtrisez pas tous très bien les énergies dans vos formes et que vous apprenez à réagir fortement. Il faut bien comprendre que vos cerveaux eux-mêmes, cette matière qu'ils représentent, sont en fait là pour traduire l'état général de vos formes et communiquer la réponse. Ils peuvent très bien ne vouloir communiquer qu'une seule partie de vos réalités. Autrement dit, ils peuvent très bien refuser de traduire 50 % de l'énergie de vos formes, cette autre énergie qui vous interrelie tous ensemble, celle de l'Âme. Comprenez-vous mieux ? Lorsque cela se produit, vous aurez beau analyser tout ce que vous voudrez, essayer de comprendre tout ce que vous voudrez, rien ne se produira dans vos vies. Vous serez dans le doute, uniquement.

Est-ce que les émotions se trouvent à être le langage de l'Âme ?

C'est une très bonne question puisque les émotions ont un double effet. Nous vous avons appris dans les premiers groupes que vous deviez les vivre afin de savoir qui vous étiez, souvenez-vous. Nous avions cru qu'en les vivant vous apprendriez aussi ce qu'elles étaient, mais nous n'avions pas prévu vos réactions. Nous avons donc modifié notre approche et nous vous avons dit, grâce à l'expérience des autres groupes aussi, que c'était l'équivalent d'une blessure en vous, que vous pouviez alimenter cela et vous blesser plus profondément, ou régler cette émotion pour passer à une autre jusqu'à ce que vous deveniez en harmonie avec vous-mêmes, jusqu'à ce que vous rétablissiez ces énergies en vous. Votre question va nous forcer à vous donner un autre éclaircissement. En fait, les émotions sont des traductions intégrales et totales de vos formes au niveau cellulaire entier. Lorsque nous disons cellulaire, nous pensons aussi aux atomes qui composent les cellules. Une émotion, c'est une réaction globale d'une forme et c'est la forme entière qui réagit. Donc, si vous ne contrôlez pas l'énergie de vos formes, vous subissez vos émotions. Lorsque vos cellules réagissent, il vous faut retraduire ces changements. Alors, non seulement vivez-vous vos émotions au niveau de la forme entière, mais vous avez aussi des réactions physiques parce que cela ne se traduit pas en mots. Vous avez des images de votre état d'être : bien souvent vous verrez des pleurs, de la colère accompagner l'émotion. C'est une forme d'apprentissage. Au début de cette session, nous avons dit que l'humanité a toujours choisi d'apprendre dans la souffrance, dans ce qui la faisait souffrir, parce que c'est ce qui vous fait réagir. C'est ce que vous faites, à plus petite échelle, de façon individuelle, avec vos émotions lorsque vous ne les maîtrisez pas. Tant que vous ne saurez pas comment maîtriser l'énergie de vos formes, tant que vous n'admettrez pas l'interrelation complète des énergies conscientes d'une forme – et nous ne mentionnons pas votre cerveau dans cela, c'est le traducteur –, tant que vous ne maîtriserez pas l'énergie, vous ne maîtriserez pas vos émotions ; vous ne maîtriserez pas vos sentiments non plus, et encore moins vos émotions. Une émotion, c'est un moyen de comprendre que vous ne comprenez pas. Comme il y a de sous-questions ! Nous allons donc répondre à une seconde question, de vous-même, étant donné que votre vie en fut une d'émotions, en majuscules.

Est-ce qu'on doit commencer par travailler nos énergies avant de travailler nos émotions ? Si c'est le cas, pouvez-vous expliquer comment on travaille les énergies ?

Voici ce qui se passe. Chaque fois que vous avez des émotions, vous modifiez de nouveau votre taux vibratoire en entier ; et plus vos émotions sont intenses, plus vous modifiez votre taux en profondeur, ce qui vous amène à craindre les émotions. En somme, c'est une forme de protection puisque personne ne peut vivre complètement dans des émotions. Vous ne pourriez pas vivre longtemps comme ça parce que vos formes ne supporteraient pas de tels niveaux de vibrations. Cela veut dire que si vous n'apprenez pas à identifier ce qui se passe dans vos formes, à reconnaître les parties de vos formes qui réagissent le plus aux émotions, vous ne les maîtriserez pas. Vous avez tous, de façon individuelle, des points plus sensibles que d'autres : vous allez retraduire l'émotion de tellement de façons différentes ! Certaines personnes retraduiront leurs émotions dans la maladie, et très rapidement ! Chez d'autres, les émotions entraîneront des problèmes de peau, ou encore des problèmes de coeur. Votre endurance est individuelle. Nul ne vit les émotions de la même façon. Nul ne vibre avec la même intensité, ce qui nous fait faire un parallèle avec le coup de foudre. Nous vous disions que le coup de foudre ne se passe pas seulement au niveau physique, mais surtout au niveau de l'énergie des Âmes, qui apprennent à se reconnaître. Mais les Âmes ne se reconnaissent pas visuellement, puisqu'elles n'ont pas d'yeux, mais dans leurs vibrations mêmes. Elles se reconnaissent parce que leur taux vibratoire change avec l'expérience qu'elles ont de vos vies ; c'est un peu similaire à ce que vos énergies de forme vivent entre elles. Vous voyez cela lorsqu'un enfant pleure et que d'autres pleurent aussi, lorsqu'une personne bâille et en fait bâiller d'autres : de l'énergie. Certaines personnes perçoivent plus que d'autres, certaines personnes ont plus d'émotions que d'autres. Mais les gens qui ont des émotions les racontent généralement à des gens qui ont des émotions comme les leurs. Ainsi, elles se reconnaissent entre elles. Pour ne pas vivre cela, il faut le reconnaître, se l'avouer. Vous allez dire : avouer quoi ? Avouer que vous n'avez pas traduit ce qu'il fallait et que vous n'avez pas traduit vos messages. En fait, vous les avez véhiculés à votre façon. Donc, vous n'avez pas été à l'écoute, ce qui veut dire qu'il vous faut plus d'apprentissage, plus d'expérience, et les Âmes peuvent elles-mêmes les provoquer pour atteindre leur but. Qu'elles passent par des émotions ou des expériences, c'est leur choix ; mais vous avez le contrôle de ces choix, sauf que vous l'ignorez. Nous espérons que maintenant vous le saurez.

Vous avez mentionné que les Âmes s'incarnent dans des formes pour s'exprimer. Le font-elles du fait qu'elles ont donné naissance aux formes ?

Si vous lisez bien entre les lignes de ce que nous avons mentionné au niveau de la création, vous avez compris. Nous avons mentionné dès le début que les espaces n'existant pas, ce sont les énergies harmonisées qui créèrent la matière elle-même. De là, il est facile de comprendre ce qui a pu créer vos formes. Nous ne disons pas que c'est le cas sur votre planète, mais en ce qui concerne l'origine des premières formes, vous avez en grande partie raison.

Vous avez parlé du contrôle des émotions. J'aimerais que vous donniez un sens à ce mot. Il m'est venu deux mots à l'esprit : la compassion et l'harmonie. Dans quel sens parlez-vous du contrôle ?

Certainement pas dans le sens de la compassion personnelle. Lorsque nous parlons du contrôle, c'est de la reconnaissance même, de votre façon de reconnaître vos états d'être, du choix que vous avez de les vivre ou de les rejeter. Jusqu'à maintenant, vous avez été portés à penser en fonction de ce que vous pouviez voir, de ce que vous pouviez identifier. Nous vous avons dit que les espaces n'existaient pas et qu'en fait, c'était l'énergie qu'il y avait entre ces faux espaces qui harmonisait la matière elle-même. Sans savoir cela, comment pouviez-vous réussir à surmonter vos émotions ? De façon détournée, en les reconnaissant, en les rejetant et en laissant savoir à la forme entière que vous les rejetiez ! Et cela altérait l'état général de vos formes. Pour contrôler ses émotions, il faut répéter, répéter continuellement. C'est cela la répétition dans vos formes. C'est la même chose au niveau des cellules : elles se reproduisent à force de répéter les mêmes mouvements. Recréez vos pensées de la même façon, mais recherchez l'autre dimension en vous, cette autre partie de vous qui, parfois, est un peu trop sage. Elle a des réponses à vous communiquer, vivez-les.

***À** propos des émotions, vous dites que si j'ai envie de rire, que je le fasse ou non, c'est mon rôle de reconnaître par exemple que j'ai envie de rire, de pleurer ou de me mettre en colère. Ces émotions, dois-je les neutraliser ? Ou dois-je les vivre en reconnaissant pourquoi je les vis ?*

Il n'y a pas un seul être humain qui n'ait vécu ces émotions au moins une fois. Si vous revivez vos émotions deux fois, trois fois et plus, c'est que cela vous arrange. Cela vous empêche aussi d'aller vers la source même du problème. Vivre les émotions pour savoir ce que vous vivez, c'est une chose ; mais il faut aller de l'avant, les identifier une fois, et ensuite faire des choix. Ce que nous vous avons appris, c'est au niveau de la forme elle-même, de l'énergie appartenant à la forme. Qu'en est-il de l'énergie de l'Âme ? Il vous faut apprendre à compenser vos émotions par l'énergie de l'Âme, à identifier cette autre source qui pourrait prendre place dès qu'une émotion veut surgir, pas après, et à la substituer à l'émotion afin d'avoir des réponses valables. Si vous lisez bien entre les lignes, nous vous avons dit que nos énergies, qui circulent entre ces matières, entre ces mondes, existent pour harmoniser, pour retenir ce qui vit. Comprenez que c'est aussi le cas dans vos formes. Si les Âmes sont dans vos formes, ce n'est pas pour les détruire, mais pour une raison valable : elles veulent y avoir accès pour les harmoniser. Lorsque vous apprendrez à abaisser votre taux vibratoire et à l'harmoniser avec celui de l'Âme, rien ne vous arrêtera ; aucune émotion ne pourra prendre place. Vous serez sûrs de vous et vous aurez raison de l'être car vous serez reliés à ce qui est harmonieux. C'est une autre façon de vous expliquer l'expression qui s'assemble se ressemble, c'est synonyme.

Si je comprends bien, c'est comme le dicton : se tourner la langue sept fois avant de parler. Autrement dit, si je me sens en colère contre quelqu'un, c'est de demander à mon Âme de prendre le dessus pour ne pas vivre cette colère.

Rappelez-vous que, si vous demandez avec des mots, vous n'aurez rien. Retraduisez immédiatement les paroles que vous emploierez en vibrations dans vos formes. Lorsque vous direz le simple mot amour, ne serait-ce que pour vous pratiquer, ne le dites pas seulement avec votre voix ; laissez-le vibrer entièrement dans votre forme. Et lorsqu'il vibrera de la pointe de vos cheveux jusqu'au bout de vos ongles d'orteils, vous saurez ce qu'est l'amour, pas autrement. Lorsque vos paroles deviendront une communication totale d'amour, lorsque vous aurez remplacé vos émotions et que vous vous serez accordés, dans vos formes, à des taux vibratoires infiniment supérieurs à ceux que peuvent émettre votre forme, vous ne pourrez jamais vivre des émotions intenses dans le sens que vous venez de nous mentionner. Lorsque nous mentionnons la forme, nous mentionnons l'énergie même de la forme, ce qui harmonise la matière elle-même. Il ne s'agit pas de votre cerveau, car il ne fait que traduire l'état. La preuve ? Lorsqu'une personne est malade, c'est son cerveau qui lui dit où elle a mal.

C'est la même chose pour toute forme d'énergie circulant dans la forme et à travers elle. Si votre cerveau retraduit une fatigue intense et que vous vivez dans un milieu où des appareils électroniques modifient vos vibrations, vous ressentirez de la fatigue et cette fatigue veut dire de vous éloigner de cet endroit. Ceux qui n'écoutent pas doivent se rendre à la maladie, mais ce sera alors la volonté de la forme en entier. C'est la même chose lorsque vous prenez des décisions face à votre quotidien, quelles qu'elles soient. Vous pensez que ces décisions se prennent au niveau de la pensée, du cerveau même ? Vous vous trompez. C'est la forme entière qui décide, même au niveau de ses atomes, ce que vous ne pouvez voir. Le jour où vous briserez l'harmonie de vos formes, vous allez les détruire. Si vous le faites moins consciemment, ce sera par la maladie ; à un autre niveau, par le suicide. Et un peu plus tard, vous apprendrez à créer des virus qui vont vous détruire en 24 heures, quoique ce soit déjà commencé sur ce continent et dans le nord de l'Europe... Ça commence même à se savoir. Lorsque vos formes l'apprendront, vous saurez ce que veut dire l'automne de vos vies.

Devrait-on s'exprimer en fonction de s'harmoniser avec les autres ?

Correction : de façon à vous harmoniser avec vous-mêmes en premier, sinon vous ne sauriez reconnaître les vibrations des autres et vous vous adapteriez aux autres. C'est ce qui fait que plusieurs personnes ne vivent pas leur vie, mais ne vivent que les influences des gens qui veulent les rendre comme eux. Reformulez cette question correctement.

En s'harmonisant avec soi-même, est-ce qu'on reproduit ce lien qu'est notre Âme vis-à-vis tout ce qu'elle tient en équilibre dans la matière ?

Nous allons faire une simple distinction. L'énergie qui retient vos formes ensemble n'est pas celle de l'Âme, c'est celle de la forme elle-même, sa propre énergie.

L'énergie de l'Âme interrelie vos formes aux autres. C'est ce que nous voulions expliquer par « l'espace-qui-n'existe-pas ». Ce sont les déplacements de vos formes elles-mêmes qui créent cela, et la matière elle-même peut aussi créer cela.

Voulez-vous donner une méthode concrète pour arriver à une communication tangible, à part l'image, avec une personne décédée dans notre entourage.

Vous en êtes encore à analyser les gens qui ont vécu... Lorsqu'une forme quitte vos dimensions, lorsqu'elle cesse de vibrer, lorsque l'énergie est dissoute et qu'il n'y a plus d'harmonie, bref lorsqu'elle meurt, ce n'est pas l'énergie de la forme elle-même mais l'Âme qui continue son déplacement vers d'autres choix, vers d'autres formes. Contacter des êtres que vous avez connus et qui ne sont plus ? Vous pourriez les capter, à priori, si certaines Âmes sont consentantes. Cela vous demandera beaucoup de pratique et devra être vécu tellement de fois, ne serait-ce que pour y croire, que ces énergies en viendront à prendre la place de l'énergie de votre Âme, puisqu'il s'agit de contact entre Âmes. Cela demande non seulement un apprentissage, mais une reconnaissance totale, une foi, pour ne pas perdre l'énergie de votre Âme propre. C'est comme cela que vous pouvez contacter : lorsqu'il y a échange au niveau des énergies. C'est comme cela que votre cerveau peut traduire, sinon il ne reconnaîtrait rien de cela. Vous ne trouverez pas de réponses dans les sons, ni dans la visualisation : vous le percevrez. Et plus vous croirez que cela peut se faire, plus cette énergie prendra la place de la vôtre et plus vous aurez, grâce à l'habitude de changer d'empreinte, la possibilité de prendre celle d'une autre et de reprendre la vôtre à volonté. Mais cela demande une complète maîtrise. À quoi cela pourrait-il vous servir ?

Ça me donnerait une idée de leur environnement.

Lorsque ces énergies quittent les formes, elles reviennent dans leurs champs de déplacements de formes ; autrement dit, elles reviennent autour d'autres formes, communiquent entre elles. Ce sont ces énergies qui harmonisent ; donc, elles se tiennent dans les dimensions qu'elles auront choisies. Notre dimension n'est pas près de vos formes puisque nous n'avons pas choisi cette expérience. Elle se situe beaucoup plus entre les mondes, dans l'harmonie totale. C'est ce qui nous donne l'avantage de pouvoir gérer les énergies autour de vos formes de matière vivante. Donc, contacter d'autres Âmes de personnes connues décédées ne pourrait qu'augmenter votre adhésion au suicide, votre goût de disparaître. Cela fait l'objet d'une règle de notre côté. À part certaines expériences, comme celle qui se passe devant vous – que plusieurs pourraient rejeter d'ailleurs –, il y a des limites à ce que nous pouvons permettre. Certaines personnes traduisent des soi-disant messages, parfois réels, de personnes disparues ; mais elles ne le font que par intuition de ce qu'elles ont cru entendre. Bien sûr, elles le font par échanges d'énergie, pas au niveau du cerveau, mais selon ce que le cerveau aura traduit. Si vous comprenez bien cela, vous comprendrez qu'en fait vous pourriez tous vivre des relations de perception de ces autres dimensions. Mais comme votre dimension est aussi énergétique, et de façon différente, c'est toujours la vôtre qui prévaudra. Ne cherchez donc pas à l'extérieur puisque c'est comme à l'intérieur. Tentez plutôt de percevoir vos états d'être, localisez-les et étendez-les à toute votre forme plutôt que de les concentrer seulement au niveau du cerveau. Par contre, le cerveau saura vous dire si vous avez compris ou non.

Vous avez dit qu'une personne qui vit beaucoup d'émotions, c'est qu'elle a de la difficulté à se contrôler. Si on n'en vit pas beaucoup, est-ce que ça veut dire qu'on comprend bien ce que notre forme et notre Âme nous transmettent ?

Prenons votre cas en particulier et nous serons très brèves. Quels ont été vos moyens de vous échapper du conscient ?

Il y en a eu plusieurs.

Et qu'est-ce que ces moyens ont créé dans votre forme ?

Des malaises.

Et des habitudes ! Que vous a-t-il fallu faire pour passer outre à ces habitudes ?

Passer à l'action.

Être deux fois plus conscient ! Et plus vous surmontez des étapes, plus vous savez comment et pourquoi vous devez le faire, plus votre forme change, et pas seulement en apparence, car les effets seront apparents, mais intérieurement aussi. Chaque fois que vous prenez une décision, quelle qu'elle soit, vous modifiez vos taux vibratoires, ce qui influe sur la rapidité de renouvellement de vos cellules : vous vous dirigez vers la maladie ou vers la santé. Dans votre cas, si vous n'aviez pas écouté, vous ne seriez même plus ici. Disons que vous avez eu l'opportunité de changer et c'est ce qui vous a fait changer. Ceux qui sont en contact avec leur Âme n'arrivent même pas à le dire parce qu'ils le vivent : c'est une relation qui ne peut être décrite par des mots.

Vous êtes en train de me dire que je ne comprends pas plus vite que cela ?

Et qu'il vous faut encore écouter ! Cela ne veut pas dire de vous trouver encore une foutue mauvaise habitude ! En fait, vous pourriez même créer un dictionnaire de mauvaises habitudes... C'est à votre avantage : comme vous les avez eues, vous pouvez les reconnaître chez les autres.

Quel serait sur nous l'effet d'une prise de conscience constante et complète de nos émotions et de la présence de notre Âme ?

Autrement dit, l'effet d'une conscience complète sur vous ? Premièrement, l'Âme aurait la certitude qu'elle en est à sa dernière expérience. Deuxièmement, elle ferait tout ce qu'elle pourrait pour conserver cet état, c'est-à-dire pour communiquer à sa façon avec les énergies qui sont siennes... Et rappelez-vous : pas de distance, pas d'espace, donc c'est immédiat ! Vos demandes seraient alors exaucées, car votre Âme prendrait les moyens pour que d'autres formes puissent lui obéir. Lorsque vous vivez cette dimension-là, vous ressentez à la fois une paix et un amour tellement énormes que vous n'avez même plus l'impression de votre forme puisque vous êtes aussi consciemment interrelié à tout ce qui vit. C'est ce que nous disions lors de la fin de semaine : s'harmoniser à des gens, à des plantes, à tout ce qui vit. Vous faites des choix. Tout cela peut vous faire apprendre. Était-ce le sens de votre question ?

Oui, mais quel serait l'effet sur le corps lui-même ?

Il n'y aurait pratiquement aucun vieillissement au niveau cellulaire. Les nouvelles cellules seraient identiques aux cellules remplacées ; il n'y aurait donc pratiquement pas de vieillissement. Le seul vieillissement possible viendrait de l'extérieur : du climat, des dérangements cellulaires causés par des énergies provenant de moyens non naturels, des champs magnétiques altérés, des hautes fréquences, etc. Toutefois, cela donnerait des formes capables aussi de comprendre ces changements et capables de changer d'endroit d'elles-mêmes, donc des formes très compréhensives.

Au contraire, si on vit un creux dans notre vie, est-ce parce que, quelque part, on n'a pas fait le bon choix ?

Si vous vivez ce que vous appelez un creux, ou un espace, ou quelque chose que vous ne pouvez discerner, c'est effectivement parce que vous avez perdu quelque peu contact avec la réalité qui devrait être vraiment la vraie, la seule. Certaines personnes vivront des espaces intérieurs, d'autres vivront des émotions ; tout dépendra de l'endurance que vous aurez et, bien sûr, de la traduction que vous en ferez. Mais des vides intérieurs peuvent aussi être des liens qui vous préparent à mieux percevoir une autre énergie en vous. Le cerveau ne traduira pas, mais sera en attente, en attente de compréhension altérée ; c'est aussi une possibilité.

Quand vous dites qu'on analyse trop, que fait le cerveau à ce moment-là ? Est-ce qu'il...

Il fait du surplace, il veut maîtriser lui-même ; donc, il revient sur lui-même.

Il cesse de traduire ce que notre forme essaie de dire ?

Tout à fait ! Non seulement ce que votre forme pourrait dire mais ce que votre Âme pourrait dire à votre forme et ce que tout ce qui leur est interrelié pourrait aussi vous dire. Donc, vous vous coupez de plus de 50 % de votre réalité. Certaines formes vont vouloir se couper de cette réalité pour ne pas perdre leur réalité propre : celle de se gouverner elles-mêmes. Effectivement, une forme pourrait vivre sans Âme mais, n'ayant pas l'énergie nécessaire à la compréhension, elle se détruirait quand même ou se ferait détruire. Tant et aussi longtemps que le cerveau se battra avec lui-même, croyant pouvoir à la fois traduire et ordonner – voyez là l'analyse – rien ne se passera. Vous ne rechercherez que des traductions et non des faits, non des réalités ; vous ferez du surplace. Cela fait quoi ? Cela fait des gens qui se créent un monde bien à eux et qui y croient tellement qu'ils s'isolent et finissent par pleurer sur eux-mêmes sans le montrer. De l'endurcissement personnel, des mondes à part, c'est ce que vous créez lorsque vous sombrez totalement dans l'analyse. Vous voulez gouverner ? Regardez ces questions que vous avez préparées pour nous : vous avez fait des efforts ; cela vous a demandé une part d'analyse, et aussi une part de concession face aux autres. Pourquoi avons-nous fait cela, croyez-vous ? Pour une seule raison : vous faire comprendre l'interrelation, même consciente, qui existe entre vous. Vous avez le choix de vous harmoniser consciemment pour en venir à une entente intérieure ou de rejeter votre réalité. Si vous la rejetez, cela devient de l'analyse personnelle, de l'éloignement car cela revient à dire : « J'ai décidé de faire mon monde à moi, mon monde à part ». Cela s'éloigne de la réalité des autres et les autres ne vous reconnaissent plus.

Bien que nous ayons déjà répondu en grande partie à vos questions et que, par déduction, vous trouverez facilement les réponses à vos questions actuelles, vous étiez surtout à la recherche de ce qu'est l'amour vrai, de ce qu'est la communication. Nous avons débuté en vous disant qu'il fallait d'abord être à l'écoute de vous-mêmes ; pour cela, nous avons dû vous expliquer ce qu'était l'Univers, ce qu'étaient vos formes, où se situait l'Âme, où était votre propre réalité. La traduction n'est pas la même pour tous, mais selon ce que vous choisissez. Même sans traduction, combien de fois n'avez-vous pas entendu des mots et en avez-vous traduit autre chose qui a modifié vos états d'être ? Des dizaines de fois. Ceux qui regardent sans voir comprendront maintenant ceux qui entendent sans entendre, car c'est la même chose. Vous avez appris à traduire selon ce que vous souhaitez, selon ce que vous voulez vivre, selon la punition que vous vous serez imposée. Vous aurez la tolérance ou l'acceptation... Des choix. Il ne reste qu'un pas très minime à franchir pour savoir comment faire pour harmoniser ces énergies dans une même famille et, pour cela, nous allons répondre à une question ou deux. Un pas minime. Ce pas s'appelle comprendre, compréhension. Vous identifiez votre Âme, sa vibration ; vous la vivez pleinement et, avec elle, vous rétablissez le lien. C'est cela le paradis : une communication complète entre les formes, sans mots. Il y a beaucoup de chemin à faire avant d'y parvenir. Rappelez-vous, après l'automne, c'est l'hiver. Vous pouvez avoir des doutes, analyser, chercher la vérité dans des livres, mais qu'est-ce que cela donnerait si vous ne la vivez pas ?

***ourquoi arrive-t-on présentement à cette période de l'hiver ?***

Vous avez encore plus de dix années avant que cette période ne commence.

Était-ce une nécessité dans le plan actuel de notre humanité ?

Pas une nécessité, une obligation. Pourquoi croyez-vous que nous faisons tout cela avec vous ?

C'est un plan d'urgence ?

Tout à fait ! Si nous ne pouvons pas le faire avec vous, nous ne réussirons pas à le communiquer sur une plus grande échelle. Nous avons tenté de le faire par un bain d'énergie déjà, et nous l'avons refait récemment sur une seule personne. Nous avons vu ce qui se passait alors dans vos formes : vous n'étiez pas prêts pour cela. Nous ne pouvons espérer maîtriser vos formes en les forçant dans l'entière relation. Cela ne pouvait avoir lieu. Donc, il ne nous restait que les explications, que des approches... disons alternatives.

Y a-t-il une façon de nous aider à reconnaître les énergies, autant celles de notre Âme et de notre forme que celles des Cellules ?

N'est-ce pas ce que nous avons fait ?

J'ai peur de passer à côté.

Le simple fait de le vouloir va vous faire porter deux fois plus attention. Si vous vous concentrez sur la peur de passer à côté, vous passerez à côté. Pensez aux avantages de réussir plutôt qu'aux désavantages de ne pas réussir. Comprenez bien qu'il va vous falloir relire ce texte à quelques reprises pour que nos propos soient mieux compris. Rappelez-vous, et ceci est très important : tous autant que vous êtes, vous ne faites qu'un et chaque fois que vous rechercherez vos identités propres, que vous les forcerez, que vous les graverez en vous, vous vous éloignerez d'autant plus de la seule réalité, celle qui vous relie et qui est la même que celle qui relie l'Univers et la matière. Repensez à ce que nous avons dit sur l'Âme, sur sa position en vous, sur ses capacités ; nous ne le répéterons pas. Nous l'avons dit pour une seule raison : voir les effets immédiats en vous. Est-ce que ce sont des connaissances qui pourraient ouvrir la porte de votre conscient ? Nous l'ignorons encore. Cela va nous aider à communiquer encore mieux avec vous et va aussi vous apprendre à communiquer encore mieux avec tout ce qui vit parmi vous. D'un autre côté, il vous faut comprendre nos craintes. Si nous divulguions certains points – nous l'avons dit dès le début –, cela pourrait non seulement nous anéantir, mais vous anéantir aussi.

Rappelez-vous ceci : notre but n'est pas de faire de vous des gens différents des autres, mais de vous rendre conscients de vous-mêmes. Étant pleinement conscients de vous-mêmes, vous le serez de votre réalité et de tout ce qui peut vivre autour de vous et en vous, ce qui est la même chose.

Nous continuerons d'entendre vos appels. Traduisez-les comme il se doit et vous recevrez. C'est avec amour que nous devons quitter cette forme [Robert]. Nous la remercions et nous vous remercions. *(Session générale des groupes, 12-09-1992)*

Lors de la dernière session générale, nous avions abordé le sujet des distances inexistantes. Oh ! ce n'était pas seulement pour vous forcer les méninges. Nous avions un autre but : que vous puissiez encore mieux vous comprendre. Regardez ce que vous faites de vos vies. Tout ce que vous n'arrivez pas à comprendre, tout ce que vous ne voulez pas admettre, vous le reproduisez dans vos formes par diverses expériences. Que ce soit dans la joie ou dans la douleur, vous le reproduisez tout de même. Regardez à quel point vous n'avez pas besoin d'être à l'écoute pour que cela se fasse. Qu'en est-il de vos quotidiens ? Remarquez les expériences de vos vies qui ont lieu tout de même malgré les efforts que vous faites. N'avez-vous pas encore compris que vous n'y pouvez rien ? Vous êtes venus dans ce monde pour en profiter, pas pour souffrir. Mais c'est le contraire qui vous a été montré. Vous êtes tellement sur vos gardes, vous avez tellement peur de souffrir que vous souffrez avant le temps ! Nous allons donc changer le terme espace pour le terme lien, parce qu'en fait les espaces qui n'existent pas occupent quand même une surface. Nous appellerons cela des liens. Et vous savez fort bien que nous utilisons aussi ces liens pour communiquer avec vous ; même actuellement, c'est ce que nous faisons. Il n'y a qu'un pas minime à faire pour comprendre ce qu'est la maladie. Rappelez-vous que vous reproduirez toujours vos craintes, vos peurs, vos doutes comme vos joies dans vos formes. Qu'est-ce qu'une pensée ? Et cette fois, nous ne reviendrons pas en arrière, plus question. Vous allez comprendre autrement, pas avec des semblants de vérité, nous n'aimons pas cela. Il faut comprendre que la majorité recherche la facilité constante, une méthode qui vous rendrait heureux du jour au lendemain. Que faites-vous de ces milliers d'années pendant lesquelles on vous a montré le contraire ? Génétiquement, vous avez tous ces expériences passées en vous. Donc, notre tâche est de vous faire comprendre cela autrement, avec beaucoup plus de facilité, mais de façon à ce que vous puissiez comprendre. La maladie, étant donné qu'elle est de plus en plus à la mode dans vos formes, occupera une grande partie de la session actuelle. Nous ne vous dirons pas comment être malade, vous le savez tous. Mais que comprendre de cela ? Vous avez tous des pensées qui vous aident ou qui vous nuisent, mais qui d'entre vous sait ce qu'est une pensée ? Peu. Vous savez que vous pensez, et cela vous suffit. Toutefois, ce n'est pas le cas. Souvenez-vous, vos formes sont complètement automatisées dans leurs fonctions, sauf quand vous leur nuisez par des pensées, des gestes, et tout ce qui en découle : émotions, sentiments. Qu'est-ce qu'une pensée ? Une pensée est une construction d'énergie. Si vous avez des pensées qui vous stimulent, vous les amplifiez. Ce faisant, vous amplifiez aussi l'énergie de vos formes, et c'est ce qui fait réagir vos formes. Qu'est-ce que cela fait ? Vous souvenez-vous de ce que nous appelions les espaces qui n'existent pas et que nous avons appelé des liens ? C'est donc qu'ils unissent les matières et qu'ils en font des réalités. Lorsque vous pensez, ce n'est pas palpable, cela ne se voit pas non plus. C'est de l'énergie pure. Qu'est-ce que cela fait ? Vous l'ignorez, cela programme justement les liens dans vos formes. Le temps que cela prend dépend de la rapidité de vos pensées. Posez-vous cette simple question : est-ce que je reste longtemps avec les mêmes pensées ? Si votre réponse est affirmative, n'en doutez pas, votre forme réagira mille fois plus qu'une autre, car vous prendrez l'empreinte de cette même pensée, de cette même énergie. Et comme ces liens rendent la matière malléable, c'est comme cela que vous devenez malade, c'est comme cela que vos visages se transforment, et c'est comme cela que vous apprenez à ne pas aimer à vivre. Par contre, si vous nous dites : « Mais j'ai constamment des pensées », il y a fort à parier que vous serez d'un tempérament changeant. Pour quelle raison ? Les liens sont beaucoup plus rapides entre l'énergie et la matière elle-même, et c'est ainsi que vous remodifiez vos formes. Dans ce que nous venons de vous dire, ce qui est fort important, c'est de mesurer vos pensées pour apprendre à vos formes à réagir d'elles-mêmes. Si vous ignorez ce détail, vous l'apprendrez à vos dépens. Vous appelez cela des expériences de vie, et plusieurs ne sont pas souhaitables. Dans tout cela, l'Âme occupe le même espace-lien dans vos formes que vos pensées ; elle a la même façon de programmer votre forme, pas dans ce que vous touchez, mais entre ce que vous touchez. C'est ce que font ceux qui font des transferts d'énergie sur d'autres formes. Ils canalisent l'énergie des deux formes, la leur et celle de la forme qu'ils veulent aider. Ces énergies passent dans la matière elle-même ; ce sont des liens. Vous n'avez qu'un pas minime à faire pour comprendre ce qu'est vraiment la spiritualité. Vous n'avez qu'un pas à faire pour vous projeter vous-mêmes dans ces dimensions autres que la matière. Nous allons expliquer cela plus simplement, plusieurs ne comprennent pas. Prenez l'exemple de cette forme devant vous [Robert]. Pour être dans cet état, ce n'est plus la matière qui compte ; la matière s'entretient elle-même parce qu'elle a été programmée à le faire, et c'est bien suffisant. Par contre, la pensée a été dirigée à l'extérieur de cette forme, dans les liens, là où nous sommes – de faux espaces, rappelez-vous. Et c'est lorsque l'énergie coïncide avec la nôtre, lorsque le lien est bien établi et que les espaces coïncident que nous pouvons utiliser cette forme. C'est déjà plus clair ! Chacun d'entre vous peut recevoir de son Âme de la même façon, de l'Univers aussi, ce que font les grands peintres, les grands compositeurs, les grands écrivains. Certains appellent cela des états seconds ; c'est une autre expression pour désigner la même chose. Comment vivre avec cela ? Très certainement pas en vous cassant la tête ! Nous voudrions que vous compreniez pour une fois que tout dans vos vies, quel que soit l'exemple, peut fonctionner tout seul, si c'est bien concordant avec les liens que nous sommes et que les Âmes représentent ! Vous voulez trop ! Ce n'est pas du sensationnel, c'est la réalité de vos formes, la réalité de vos êtres, de vos vies. Que cherchez-vous ? Vous avez reçu tellement de mots, même de nous. Nous avons observé plusieurs vies ici même. Nous avons observé des gens qui ont fait des changements majeurs, volontaires, des changements qu'ils croyaient impossibles, et cela a fonctionné. Certains reprennent contact avec la vie à travers ces changements et se rendent compte qu'ils vivent maintenant ; ce sont des pas minimes, mais tellement importants ! Rappelez-vous qu'aucune distance n'existe, sauf dans votre imagination. Vous faites autant partie intégrante de la matière que de l'antimatière. Vous faites partie de tout. Par contre, vous ne vous servez pas de tout !

Pour être bien certain que cela a été compris, nous allons maintenant demander à Élisabeth de localiser dans l'assistance les gens qui auraient des questions à nous poser et de leur donner la parole. Nous savons fort bien le type de questions qui ont été retransmises. Vous nous demandez encore une fois comment retrouver l'amour, de vous parler de la famille... Nous avons parlé de cela il y a tellement longtemps, nous y avons répondu tellement de fois, qu'avez-vous fait de tout cela ? Qu'avez-vous pratiqué en fait ? Pour emprunter un terme de cette forme [Robert], quels avantages trouverez-vous dans votre vie ? Cherchez-vous des réponses trop complexes pour vous empêcher de faire des changements ? Cherchez-vous encore à être aimés de quelqu'un d'autre avant de vous aimer ? Faut-il que quelqu'un d'autre vous le confirme à chaque fois ? Vous valez beaucoup plus que cela et c'est ce qu'il faut saisir ! Si vous refusez de changer ce qui ne va pas dans votre vie pour être heureux, ce ne seront pas nos paroles qui vous aideront. Elles pourront peut-être vous consoler, mais c'est vous qui aurez le dernier mot. Posez-vous les questions suivantes. Quelle sorte de vie voulez-vous ? Complexe ? Difficile ? Pénible ? Désirez-vous fouiller à ce point pour trouver des réponses ou, au contraire, n'aimeriez-vous pas vous lever heureux le matin et vous dire : « Encore une journée à apprendre ; je n'ai qu'à observer et tout le reste se fera. » N'est-ce pas plus avantageux ? Regardez ce que vous faites et vous saurez ce que vous êtes. Nous sommes prêtes à répéter nos réponses, ce n'est pas un problème pour nous, mais nous croyons qu'il serait avantageux aussi que vous sachiez vraiment comment vous fonctionnez. Ainsi, ceux qui refusent d'être heureux et qui seront malades le sauront ; ils pourront comprendre qu'ils l'ont accepté et ce sera beaucoup plus rapide. Vous souffrirez beaucoup moins longtemps. C'est votre choix. Notre but n'est pas de vous montrer comment souffrir, c'est tout le contraire. Ce n'était pas facile de vous expliquer que les distances n'existaient pas ; il faudrait encore plusieurs centaines de vos années pour que ce soit compris, pour que la dématérialisation soit comprise. Il suffit de si peu pour que cela fonctionne ! Vous avez tout à gagner en comprenant ce que nous vous disons. Mettez en pratique dans vos têtes ce que nous avons dit lors de notre première rencontre avec vous concernant ces faux espaces. C'est important ! Comprenez ce que nous avons mentionné au début de cette session. Ce sera aussi fort important ! Nous avons commencé un autre apprentissage avec cette forme [Robert]. Elle vivra bientôt de multiples pratiques nouvelles et nous savons qu'elle pourra vous les communiquer. Vous devrez être prêts par contre. Qu'entendons-nous par cela ? Que vous pouvez voyager en premier dans vos formes, dans ces liens, consciemment, et ce sera nouveau. Regardez ce que vous avez fait dans le passé. Les meilleures volontés n'ont pas modifié grand-chose parce que vous les avez gardées dans vos têtes. Ce que nous voulons que vous puissiez faire, c'est de les intégrer dans les liens à mesure que vous les vivrez, et c'est comme cela que vous allez entendre – nous avons bien dit « entendre » – la matière, autant ses plaintes que ses choix. Ainsi, vous ne jouerez pas seulement un jeu de cerveau, mais un jeu de conscience volontaire et vous cesserez de vous torturer tous les jours, parfois pour des détails. Qu'avez-vous à perdre ? Au contraire, vous avez tout à gagner.

Vous avez dit que certaines personnes cherchaient la facilité à court terme, alors que nous avions reçu des milliers d'années d'enseignement dans un autre sens. Peut-être est-ce utopique de vouloir vivre les liens ?

Vous savez, il vous faut commencer par un début. Vous ne pouvez pas passer pardessus vos problèmes quotidiens du jour au lendemain et dire : « Parfait ! J'entre dans des liens. » Rappelez-vous que, lorsque nous mentionnons des liens, nous parlons de ce qui n'est pas palpable, de ce que vous appelez distances, espaces. Comment vivrez-vous cela ? Comment comprendrez-vous tout cet amour dont vous disposerez ? Comment passerez-vous à travers les problèmes quotidiens ? Vous êtes-vous déjà posé cette question ? Ce ne serait pas facile ; vous feriez le vide autour de vous, et cela deviendrait tellement facile que vous ne trouveriez aucun sens à vos vies actuelles. Ce n'est que graduellement que vous y viendrez. Si nous avions brusqué les choses dès votre première rencontre avec nous et avions donné ces réponses, vous n'auriez rien compris parce que cela aurait été trop vite, parce que vos formes elles-mêmes, dans leur façon de communiquer, dans les liens que vous avez établis inconsciemment, ne comprendraient plus rien. Et la majorité d'entre elles s'autodétruiraient, par peur de perdre un réalisme auquel vous avez voulu croire. Donc, il nous faut être extrêmement patientes, trouver les mots, briser certaines habitudes, vous rendre plus conscients des problèmes, des malheurs que vous créez dans vos quotidiens, des douleurs que vous entretenez, même psychologiques, pour que vous puissiez accepter de faire des changements. Nous avons commencé cela dès votre fin de semaine avec nous, en vous rendant plus conscients de vos problèmes, plus conscients de vos valeurs, en vous faisant prendre conscience aussi, ne serait-ce qu'avec les aimants, des énergies qui peuvent vous entourer. Il nous faut amadouer vos formes tranquillement pour que vous puissiez les aimer pleinement, pas pour ce qu'elles sont à l'oeil, mais pour ce qu'elles sont dans la réalité, même pas dans celle que vous croyez être, mais dans la valeur pure de ce qu'elles sont. Ce n'est pas utopique parce que cela existe déjà. Mais vous ne savez pas utiliser... En fait, vous faites tellement d'efforts que, plus vous en faites, plus vous vous éloignez de la vérité. Il a été dit que seuls les enfants verraient Dieu, parce qu'ils n'analysent pas, ils vivent. Il y a longtemps que vous avez oublié cela. Comprenez que notre première tâche fut de vous rendre plus libres dans vos connaissances, et c'est ce que vous avez eu dans vos sessions avec nous au début. Nous avons enlevé un certain poids accumulé avec les années, trop de craintes, trop de peur de la mort physique, beaucoup plus que de la vie en fait. Vous savez ce qui arrive à la personne qui fait tout pour s'empêcher de mourir ? Elle prépare deux fois plus rapidement sa mort. C'est cela qui se produit, car vous devenez hyperconscients, hyperprogrammés, et vous vous nuisez.

N'avez-vous jamais remarqué que c'est bien souvent en pensant le contraire que vous avez des réponses ? Cela vaut la peine de vous y arrêter ; vous trouverez probablement, si ce n'est certainement. Vous faites déjà le contraire de ce que vous devriez faire et c'est pour cela que le contraire fonctionne ! Intéressant, n'est-ce pas ? Parfois vous penserez non et vous ferez oui, et cela fonctionnera. Apprenez-le ; voyez comment vous fonctionnez ; changez ce qui est à l'envers dans vos vies. Nous disions que nous avions enlevé du poids, des craintes, que nous avions rendu les réalités plus simples par des termes plus simples. Ce ne sont pas des demi-vérités mais des réalités. La fin de semaine ? Vous rendre plus conscients de vous à tous les points de vue. Lorsque nous aurons stabilisé vos formes consciemment dans les ateliers qui suivront, nous pourrons effectivement apporter d'autres méthodes pouvant vous rendre plus directement reliés aux liens eux-mêmes. Nous vous le disons tout de suite, nous ne chercherons pas à vous faire entrer avec des liens d'Entités ;

ce n'est pas notre but. Toutefois, comme nous l'avons fait lors de cette dernière fin de semaine, il y a des possibilités que nous puissions établir des liens avec vos formes, mais à des niveaux un peu plus conscients tout en étant inconscients à la fois, dans les liens. Ce n'est pas facile à comprendre actuellement, mais cela viendra. Pour répondre à votre question, il nous faut vous amener à le comprendre, à vous débarrasser des poids que vous traînez, sinon vous ne vous donnerez aucune chance de bien vivre, de vivre plus facilement et d'aimer ce que vous faites. Nous avons aimé le nouveau terme utilisé par cette forme [Robert], les avantages, car cela va vraiment dans la direction que nous voulions prendre avec vos formes : les rendre avantageuses, pas à l'oeil, au goût de vivre. Cependant, cela ne se fait pas consciemment. Tout ce que vous pouvez vraiment vivre consciemment, c'est l'appréciation, la jouissance d'une belle vie. Cela, c'est vivre. Jusqu'où irons-nous ? Jusqu'où voudrez-vous aller ? Voyez-vous, nous avons eu les résultats de tous ces groupes dans le monde. Nous pouvons vous dire que nous allons continuer l'expérience dans 16 des 83 groupes. Nous avons donc décidé, et nous en avons d'ailleurs eu l'autorisation, de continuer l'expérimentation jusqu'à la limite de tolérance maximale de vos formes, pour nous rendre compte jusqu'à quel point vous voulez vivre et vous pouvez vivre. Est-ce que ce sera facile ? Demandez-vous plutôt si ce que vous vivez actuellement est facile. Si vous dites que c'est difficile, ce sera facile parce que vous en aurez assez de ce que vous vivez, parce que vous voudrez des changements, parce que vous vous sentirez forcés de le faire et vous aurez avantage à le faire. Effectivement, nous changerons des termes pour rendre cela plus simple encore une fois. La simplicité est tellement simple ! Donc, nous allons rendre cela plus facile. Nous avons donc l'autorisation de continuer avec 16 groupes, disions-nous, dont celui-ci. Le nombre de personnes ? Nous y verrons nous-mêmes. Nous savons que certaines personnes ne peuvent pas, que ce serait trop leur demander actuellement selon leur bagage génétique, selon les expériences qu'elles ont accumulées, selon ce qu'elles souhaitent conserver de leur réalité. N'ayez aucune crainte, vous ne disparaîtrez pas à moins que d'être plus réel soit de disparaître. Dans ce cas, vous ferez disparaître certains problèmes et, entre parenthèses, certaines personnes. Rappelez-vous, vous compenserez et cela n'aura pas de prix ! Nous ne promettons rien, sinon vous aurez des attentes, mais des attentes que vous ignorez. Donc vous créerez dans vos formes des liens d'attente envers nous et vous ne comprendrez pas ce que nous voulons de vous. Nous créerons des liens plus simples que tout cela, nous changerons des termes, et ce sera beaucoup mieux. Mais nous ne brusquerons pas vos formes, c'est certain. Nous avons admiré – puisqu'il faut vous donner la raison pour laquelle nous avons choisi de continuer avec cette forme [Robert] –, chez la majorité d'entre vous le goût du retour à la vie, le goût de l'amour de leur forme. Même si ces gens ne comprenaient pas tout, ils ont commencé à s'aimer. C'était énorme ! Cela passait souvent par des épreuves difficiles à vivre, mais ils en ont trouvé les avantages. Cela peut sembler un pas simple, mais c'est énorme en valeur. Vous pouvez, si vous le souhaitez, ne faire qu'écouter ce que nous disons, comprendre plus ou moins, vous dire que vous pourrez relire tous ces textes plus tard, mais cela n'aura jamais la même valeur. Tant que vous n'aurez pas tout intégré, vous trouverez quelque chose de différent à chaque fois que vous lirez nos propos, parce qu'à chaque fois vous changerez, parce qu'à chaque fois vous comprendrez plus. Donc, il ne s'agit pas de lire une fois mais plusieurs fois, jusqu'à ce que vos formes intègrent, établissent de nouveaux liens en vous, des liens compréhensibles cette fois. Lorsque nous disons compréhensibles, nous ne mentionnons pas la valeur de la forme apercevable mais sa valeur transformable. Et une valeur transformable en vous, c'est une valeur sur laquelle vous n'avez aucun contrôle, mais que vous savez apprécier ou aimer. En d'autres mots, vous pourrez être maîtres de vos observations, point. Cela veut dire que c'est comme la respiration. Votre vie fonctionne de la même façon, sauf qu'il vous faut non seulement respirer avec vos poumons, mais avec toute votre forme. Respirez dans les liens, dans tout ce qui vous entoure. N'est-ce pas là un très grand avantage, beaucoup plus grand que l'air ? Rappelez-vous que, même sans vos formes, l'Âme continuera. Pourquoi ne pas en profiter consciemment ? Que vous le vouliez ou non, elle a déjà plus d'expérience que vous. Tout ce que vous pourrez faire, c'est de l'embêter et de vous embêter vous-mêmes. Vous verrez que ce n'est pas toujours drôle ! Donc, vous avez des choix. Ou vous ne faites qu'écouter, tenter d'analyser et de comprendre tout cela en vous disant : « Que c'est compliqué ! » Ou, pour une fois et chaque fois que vous lirez ces passages, vous écouterez vos formes, vous ressentirez ce qu'elles vous diront, autant votre main que votre pied – les parties que vous voudrez – pourvu que vous appreniez à vous écouter. Vous en viendrez à vivre un lien complet entre la valeur matérielle visible et les liens réels, puisque vous savez très bien que la matière n'est que temporaire, malléable, changeante, de même qu'une forme en excellente santé peut mourir en moins de deux heures, en moins d'une minute s'il le faut, sans raison. Nous savons que vos sciences trouveront toujours des réponses, mais ce ne sont plus des réponses qu'il vous faut. Vous en avez déjà suffisamment et vous en aurez encore pendant des milliers d'années. Vous permettre de faire un pas de plus que les autres, de pouvoir être consciemment conscient de ce que vous vivez vraiment, de pouvoir dire à votre forme ce que vous voulez vraiment ressentir juste par un souhait – même plus par une pensée – et la laisser agir, voilà ce qu'il faut. Pour y parvenir, il faut que vous puissiez être hyperattentifs à vos formes. Au début, vous en écouterez au moins les symptômes. Puis, plus vous écouterez, plus vous entendrez ce que vous n'entendiez pas. Et ce que vous n'entendez pas, c'est votre vie, ce sont les liens. Vous n'entendrez plus ceux que vous entendez maintenant. Nous savons que cette forme [Robert] a découvert la valeur de l'importance : nulle ! Foutaise que cela ! Vous en viendrez aussi à comprendre qu'il y a parfois à vos côtés des nullités semblables et que vous les choisissez. Sachez-le : rien n'est plus insécure que la sécurité !

Vous avez parlé de voyager dans la forme, dans les faux espaces. J'ai tenté de faire cela en visualisant des espaces entre les atomes de ma forme. Comment l'apprendre ?

Vous sautez des étapes ! Si vous pratiquez cela sans plus de connaissances, vous allez habituer votre cerveau à créer de faux espaces et il vous montrera une voie que vous n'aimerez pas, c'est-à-dire l'inutilité de le faire parce qu'il ne voudra pas perdre une réalité qu'il aura créée lui-même. Il vous fera donc imaginer des espaces. C'est pourquoi nous vous disons qu'il ne faut pas courir, qu'il faut laisser entrer ces données, écouter les réactions de vos formes. Pour un début, c'est déjà beaucoup, car cela fera que votre forme écoutera autre chose que des symptômes ; elle vibrera différemment. Dans un premier temps, vous allez ressentir ce qui vous entoure, les matières puis l'âme des matières, pas dans le sens de l'Âme de vos formes mais de l'âme énergétique de la matière elle-même. Vous ressentirez les liens, comme dans vos formes. L'Âme, c'est le lien, et c'est ce qui vous tient en vie. Mais avant de participer à cela, il vous faut un peu plus de préparation. Vous avez une chance sur mille dans la technique que vous venez de mentionner d'y avoir totalement accès. Ce que vous avez fait dans votre forme, c'est que vous avez préparé une bonne part d'ouverture, l'acceptation. Vous vous êtes préparé à accepter et c'est très bien, mais d'autres techniques plus simples vous seront bientôt montrées. Vous n'obtiendrez pas cela par l'effort puisque tout ce qui implique l'effort implique obligatoirement l'analyse. Dans l'effort, il y a obligatoirement implication du cerveau, et vous n'avez pas besoin de cela pour faire ce que nous venons de mentionner. Vous n'avez qu'à le rendre conscient, à le rendre apte à traduire puisque son travail est de traduire ce qui se passera, ce qui vous sera dit – pour vous aider, bien sûr. C'est loin de la réalité actuelle. S'il vous plaît. Parenthèse : lorsque nous disons s'il vous plaît, cela veut aussi dire que vous pouvez enchaîner avec une autre question ; la question peut provenir de la même personne. Vos questions peuvent aussi en aider d'autres. En fait, c'est le but des groupes : une personne peut en aider plusieurs. Et si ce n'était pas le cas, nous ferions en sorte de vous forcer à changer votre question pour aider la majorité. Donc, soyez très à l'aise, aucune question ne sera trop simple ; en fait, les plus simples sont les plus compliquées.

Vous dites avoir fait parvenir des petits mots juste à temps. C'est bien comme cela que je l'ai vécu la semaine dernière.

Votre question est aussi une remarque. Nous avons forcé cette forme [Robert] à le faire en lui faisant ressentir ce que vous viviez. Nous avons choisi 10 personnes sur plus de 200, pour une raison fort simple : chaque personne a eu un mot différent, même si cette forme ne comprenait pas ce qui était écrit. Nous avons établi un lien, parce que la majorité ne s'attendait pas à cela. En fait, aucune de ces personnes ne s'attendait à recevoir ce message. C'était, pour nous, une façon d'établir des liens, et ces personnes ont vécu ces messages, en partie émotionnellement. Nous ne faisons rien au hasard ; c'est bien calculé.

Vous avez dit que si le développement allait trop vite, la vie n'aurait plus de sens. Qu'en est-il de certains d'entre nous dont la vie n'a pas de sens en ce moment ?

Vos vies n'ont pas de sens parce que vous ne leur avez donné aucun sens. Ne dites pas que c'est de notre faute tout de même ! Nous faisons tout ce que nous pouvons pour que vous compreniez le bon sens, justement ! Nous vous avons même dit qu'il faut parfois faire le contraire pour que cela fonctionne. N'est-ce pas un signe qu'il y a des gens à l'envers ? Effectivement, vos vies n'auraient pas de sens ; vous ne leur donnez aucun sens, aucun avantage.

Observez ce qui se passe actuellement avec les religions, peu importe laquelle. Nous nous baserons sur la religion, car c'est comme pour l'économie actuelle, elle en est à un tournant. Tout ce qui se rend au maximum de son épanouissement et qui ne voit aucun débouché se termine. Dans vos vies, dans vos quotidiens, lorsque vous êtes rendus à un point, comme dans les religions actuelles, où cela n'a plus de sens, où il n'y a plus de débouchés, plus d'avantages, ou lorsque vos préoccupations dépassent les avantages, quel intérêt avez-vous à vivre ? Aucun. Lorsque vos formes sont rendues à ce point, elles cherchent. Elles cherchent à s'agripper à tout ce qui leur tombe sous la main pour trouver ne serait-ce qu'un peu d'espoir, de réalité. Certains iront dans la violence pour exprimer leur extrémité à d'autres... Lorsqu'une personne est à l'extrémité de sa vie et de sa résistance physique au point de l'exprimer constamment dans la douleur, sans mesurer les douleurs qu'elle émet vers d'autres formes, n'avez-vous pas compris que d'autres formes, elles, apprennent dans cela, y trouvent des avantages ? N'est-ce pas un bon exemple ? Vous vous dites rendus à ce point ? Regardez l'avantage d'avoir vécu cela ; cela vous forcera à un changement. N'est-ce pas merveilleux ? Il faut parfois pousser vos formes à la limite pour qu'elles comprennent le non-sens. Et, comme nous l'avons déjà dit dans le passé, vous avez appris à changer lorsque vous n'en pouviez plus. Que de pertes d'énergie ! Que d'exemples de refus de vivre ! Il vous a été montré à vivre pour votre prochain ; foutaise que cela ! Apprenez à vivre personnellement de manière heureuse, avec amour, et vous verrez que ce sera contagieux puisque vous pourrez le montrer. Si personne ne vous le montre, que ferez-vous ? Vivrez-vous la violence de votre prochain ? Qu'en retirerez-vous ? Vous croyez voir la violence ? Vous n'avez rien vu encore. Cela viendra, et cela approche rapidement d'ailleurs. Si vous savez en retirer aussi les avantages, vous serez deux fois plus forts, et cela ne vous touchera pas. C'est pourquoi nous avons accéléré avec cette forme [Robert], pour que vous ayez à vivre le moins possible la douleur, pour que vous puissiez prendre le meilleur de cela et l'affirmer. Et cessez donc de faire du surplace quand cela ne va pas, en essayant de trouver mille réponses que vous n'avez même pas ! Vous n'y trouverez qu'une chose, des possibilités. Et vous savez ce que sont les possibilités, surtout ceux qui analysent beaucoup ? Cela veut dire beaucoup de temps, car une possibilité n'entraîne qu'une seule chose, une autre possibilité. Effectivement, ceux qui veulent vivre 100 ans ont le temps...

Cette semaine, j'ai ressenti une autre forme sur un autre plan. Cela a créé beaucoup de nostalgie dans ma forme et laissé des énergies très particulières dans ma tête. Quel est l'avantage réel pour ma forme de vivre cela, bien que je sache très bien que je ne suis pas ma forme, que ma forme est mon outil ?

Il y a beaucoup de tricotage dans cela ! Effectivement, une forme, c'est un outil. Si vous êtes une Âme, vous pouvez dire que la forme est un outil ; mais lorsque vous êtes une forme, vous êtes. Cela veut dire que la majorité des formes qui sont constamment à la recherche – comme vous le faites d'ailleurs – de certains niveaux, de certaines vérités, de certaines réalités, deviennent malléables à tout. Certaines journées, vous adopterez certains plans d'expériences dont les formes ne sont même pas conscientes et cela fera réagir l'outil qu'est la forme. Elle ne se sentira pas bien, développera des émotions, des sentiments qu'elle ne voudra pas. Lorsque nous mentionnons des liens, cela en fait partie. Nous avons mentionné tellement de fois que la plus grande erreur dans vos hôpitaux actuellement est de mettre ensemble les gens contagieux. Même ceux qui ont des cancers sont ensemble ; c'est une étape d'expérience malheureuse, ridicule. Pour quelle raison disons-nous cela maintenant ? À cause des liens ! Les personnes émettent selon leur force, même dans l'acceptation de la maladie, et surtout dans l'acceptation, car elles émettent alors mille fois plus fort qu'une personne qui combat pour ne pas être malade. Plus cela continue, plus cela devient contagieux, et plus les liens s'établissent. Vos formes sont parfaitement conscientes des maladies ; elles savent très bien où cela se situe en elles. Et lorsque cela se fait, elles se communiquent leurs expériences. Il n'y a pas de distance, pas d'espace. Il n'y a que des liens entre les matières. La maladie, c'est cela. Que vous l'ayez par votre pensée ou que vous vous la communiquiez entre vous, c'est la même chose, sauf que le temps sera plus long dans un cas que dans l'autre. Pour en revenir à votre question, il faut bien comprendre que vous n'êtes pas encore vraiment focalisée sur ces liens, que parfois il s'insère en vous des liens qui ne vous appartiennent pas. Mais comme votre forme ne sait pas encore quoi en faire, elle attend des décisions de votre part. En d'autres termes, comme plusieurs ici d'ailleurs, vous êtes sur le point de chevaucher dans la bonne voie, la voie des liens. Mais comme votre forme n'est pas totalement convaincue de tout cela, comme elle n'est pas totalement consciente de ce qu'elle en fera et des avantages qu'elle en retirera, elle tente de se programmer elle-même à travers ces liens. C'est l'erreur que les gens font trop souvent en voulant aider ceux qui sont à leurs côtés. Que ce soit par votre simple présence ou par des manipulations énergétiques, vous établissez souvent dans vos formes des liens non souhaitables et vous en devenez inconscients. Quelques mois plus tard, vous vous rendez compte que vous avez des problèmes, des maladies que vous ignoriez. Mais jamais vous ne ferez dans votre tête – pour jouer sur les mots – les liens entre les situations, où cela se situe en vous, bien sûr inconsciemment. Vous chercherez des réponses dans des vies passées. Oh ! vous savez, le karma n'a aucun lien, bien sûr, puisqu'il n'a aucun sens. Ces liens existent, que vous le vouliez ou non. Tout ce qui changera, c'est que vous en serez plus ou moins conscients. Vous réagirez ou vous vivrez. Est-ce un peu plus clair ? Si ce n'est pas sûr, reformulez votre question.

Si le temps et l'espace n'existent pas, tout se vit en même temps dans le fond. Donc, dans mon conscient, je

ne comprends pas, mais je le vis quand même à chaque instant ?

Qu'avons-nous dit comme tout premiers mots dans cette session ? Qui peut les répéter ? Oh ! nous le ferons, ne vous en faites pas ! Mais nous aimerions que quelqu'un fasse au moins un effort... Fort bien ! Nous le ferons pour vous. Nous avons dit : tout ce que vous ne pouvez comprendre et accepter, vous le ferez dans votre forme, ne serait-ce que pour vous prouver que vous pouvez le faire. Donc, ce que vous ne pouvez comprendre, vous le vivrez. N'est-ce pas ce que vous venez de nous mentionner ? C'est ce que nous venons de vous dire. Vous l'avez trouvé dans d'autres mots, par une expérience. Ex– signifie passé. Donc, c'est une expérience. Vous l'avez redémontré d'une autre façon et nous vous en remercions.

Pour comprendre ces liens-là...

Nous savions que l'analyse viendrait ! C'est déjà très scientifique comme début. Nous ne voulons justement pas que vous compreniez : nous voulons que cela existe mais pour vous. Continuez de la même façon, reposez cette question telle que vous l'aviez dans la tête. Nous avons une belle réponse ! Continuez à partir du début, s'il vous plaît.

J'évoquais la façon d'investir les atomes par la pensée, etc. Est-ce qu'on peut explorer ces liens par le senti ? Je ferme les yeux parfois et je ressens un bien-être à l'intérieur de moi et il m'arrive de vivre des expériences un peu particulières.

Le bien-être n'est qu'une partie de la conscience. En fait, c'est une forme de traduction de ce que vous vivez en vous ou de ce que vous ressentez à l'instant même. Ce que nous faisons, c'est de vous montrer à le vivre, mais constamment. C'est différent. Ce n'est pas une question d'analyser ce qui se passe puisque cela se vit ; cela ne s'analyse même pas. Vous nous parlez de compréhension. La compréhension implique une part d'analyse, n'est-ce pas ? Nous vous disons que les liens sont incompréhensibles, qu'ils se vivent, dans le sens que si vous faites le lien, entre autres, vous comprendrez ce que nous avons dit un peu plus tôt dans cette session : la première qualification du cerveau est la traduction. Cela signifie que, lorsque vous vivrez ces liens, vous les apprécierez, un point c'est tout. Apprécier ne veut pas dire souffrir, bien que certaines personnes aient apprécié la souffrance. En fait, ce n'est pas ce que nous vous souhaitons. Nous savons tout de même que vous êtes déjà fort différent de ce que vous étiez il y a huit mois. Effectivement, il faudrait songer à changer de nom. Ne vous en faites pas : c'était pour que vous pensiez. Nous savons que vous êtes fort différent, que vous avez vraiment fait des changements et que vous avez développé l'appréciation de vous-même lors de cette fin de semaine ; malgré certaines réticences, vous y êtes arrivé. Votre cerveau croit donc avoir donné la permission à cette forme d'être dans un autre état et vous avez créé un autre état d'être. Ce que vous venez de nous mentionner, c'est que vous voulez être encore plus à l'écoute de façon à le confirmer encore plus. Très bien : c'est un bon pas, et vous faites partie de la catégorie que nous avons mentionnée dans ce groupe. Mais nous allons beaucoup plus loin que cela ! appréciez vos vies sans y penser, laissez traduire, laissez vos formes prononcer elles-mêmes les mots, laissez-les faire les gestes et appréciez vos vies. C'est un avantage. Vous en êtes aux balbutiements, et c'est très bien ! Vous pouvez vous flatter de toute façon : vous avez fait beaucoup de progrès. Vous pouvez penser, comme Wilfrid, aux espaces dans vos formes – qui n'existent pas, bien sûr –, à ces espaces qui ne sont pas encore des liens puisqu'un lien est direct. Donc, pensez aux espaces, ayez-en la compréhension. Mais cela ira beaucoup plus loin, soyez-en assurés. Vous avez toutes les qualités nécessaires pour cela.

Devrons-nous nous réincarner jusqu'à ce que nous ayons appris à transcender la mort ?

Nous allons tout de suite faire un commentaire sur votre question. « Devrons-nous nous réincarner »... Ce n'est pas vous mais votre Âme qui se réincarnera ! Si vous parlez du point de vue de l'Âme, c'est que vous êtes en transe ou que vous avez un lien direct, ce qui n'est pas encore le cas. Ce que vous nous dites, c'est plutôt : « Devrais-je craindre certaines incarnations en me souvenant de celle-ci ? » [rires] Ce que nous venons de faire, vous appelez cela un coup bas ! N'ayez aucune crainte, vous n'en aurez pas souvenir... Oh ! vous êtes encore si porté à l'analyse, craintes de l'insécurité, etc. ; mais c'est moins pire qu'avant. Vous savez, si vous avez bien compris nos propos, vous savez que nous tentons de vous faire dépasser cela. Ce n'est pas ce que vous vivrez dans une autre vie ou le fait que votre Âme se réincarne dans une autre forme qui compte. Qu'est-ce que cela peut bien vous faire dans le fond puisque vous n'en aurez aucune conscience et que votre Âme pourra choisir une forme totalement différente de la vôtre ; dans son cas, une prostituée lui ferait du bien ! [rires] Nous disions cela dans le sens que cela lui donnera plus d'approche, plus d'ouverture aux autres formes. La réincarnation est faite dans un seul but : permettre à l'Âme de créer des liens avec une forme. Lorsque nous disions dans des sessions passées que, lorsque l'Âme maîtrisera consciemment une forme et que la forme en sera consciente, elle pourra cesser de prouver les liens qu'elle aura établis et pourra rejoindre les liens qu'elle voudra, même les nôtres ; c'est ce que nous vous disions. Et c'est ce que nous essayons de vous faire comprendre en créant de nouveaux liens en vous. Ce n'est pas ce qu'une forme fait qui compte, c'est ce qu'elle en retire ! Où se trouve le bonheur ? Seulement dans l'acceptation sans hésitation de vous-même, l'instant même, erreur ou pas, puisque cela n'existe pas. Rappelez-vous que le présent ne revient jamais : mieux vaut en profiter maintenant qu'en payer le prix plus tard.

Est-ce vraiment un but à atteindre que de transcender la mort ? Dans notre vie

actuelle, faut-il chercher à avoir le lien avec l'espace, le cosmos, pour ne plus avoir besoin de mourir et de se réincarner ?

Vous parlez du point de vue d'une forme, cette fois ?

De celui de l'Âme.

Vous ne pouvez rien à ce niveau. Vous pouvez bien vivre, être heureux, d'accord ; à la limite, vous pouvez être conscient de ce qui se passe dans l'Univers, autour de vous, en vous en premier. Combien de fois n'avons-nous pas dit qu'en fait vous êtes comme l'Univers ! Pour quelle raison, selon vous ?

Pour établir le lien.

Pour que vous puissiez comprendre que le lien est le même, que la distance entre vous et un astre éloigné n'existe pas puisqu'il est déjà en vous, sauf que vous ne l'entendez pas. Pour quelle raison l'astrologie a-t-elle été créée ? Parce que ces astres avaient des influences, parce que certaines formes réagissent plus que d'autres à ces influences. Donc, il y a des liens. Mais vous avez choisi des mots pour vous influencer. Nous vous disons de vivre ces liens. De toute façon, vous ne pourrez pas retourner cela dans votre tête, vous vivrez tout de même. Mieux vaut en profiter. Lorsque vous en êtes à ce niveau, ce n'est pas seulement avec les astres que vous aurez des liens. Vous aurez le choix de toute autre forme de liens. Vos vies sont des choix – pas le choix d'être heureux ou malheureux, car vous l'avez déjà –, des choix de liens. Vous le faites entre deux êtres humains qui veulent choisir des unions physiques. N'avez-vous jamais pensé que cela existait aussi à l'intérieur ? Mais vous n'écoutez pas ces liens. Pour nous, ce n'est pas important que vous écoutiez l'Univers puisque c'est déjà en vous ; vous êtes déjà l'Univers. Bien sûr, ce n'est pas votre pensée qui changera cela. Votre pensée pourrait vous tuer par contre. Si vous nous parlez de transcender la mort physique comme forme, puisque votre Âme n'a pas le choix, c'est en comprenant ces liens que nous venons de mentionner, ces faux espaces dont nous venons de vous parler, que vous comprendrez le sens de votre vie. Lorsque nous avons fait la blague, quoique réelle, au sujet d'une future forme qui serait prostituée, c'était dans le sens de comprendre qu'une Âme qui vit dans cette forme – ne devenez pas tous prostituées, nous ne vous le suggérons pas – côtoiera plusieurs dizaines de formes et pourrait alors développer l'amour comme aucune autre ne peut le faire. Cela dépendra. Il y a différentes façons de comprendre les liens. Faites vous-même le lien dans votre pensée avec une personne qui développe un amour inconditionnel de la musique, de l'écriture, de son prochain, entre autres, puisque la personne qui le fait avec amour s'aime déjà. Ces gens ont établi des liens, ont fait des choix de liens entre les vibrations de la musique ou les vibrations d'un prochain qui concordent avec les leurs. C'est cela l'harmonie : des liens qui coïncident. Est-ce déjà un peu plus clair ? Donc, ce n'est pas ce que vous pourrez transcender qui comptera, ce n'est pas de savoir consciemment que vous ne vivrez plus une autre vie, puisque vous ne vivrez pas la vôtre si vous pensez ainsi. En effet, cela vous fera développer d'autres craintes, d'autres peurs : peur que certains passages se répètent, peur de n'être pas passé à travers une expérience. Expérience veut dire passé. Passez donc à autre chose ! Prenez les avantages de tout cela et vivez-les surtout. Ne les vivez pas seulement en pensée, car si ces avantages étaient des désavantages, que feriez-vous ? À moins d'écouter votre forme au complet, vous n'y arriverez pas et vous réagirez. Et c'est ce que réagir veut dire, n'est-ce pas ? Cette fois, ce n'était pas un coup bas, mais la réalité.

J'aimerais comprendre davantage le sens du mot lien.

Une seule parenthèse. Ne dites pas que nous avons encore une fois répété ce que nous vous avions déjà dit. Ce que nous vous avons expliqué était différent. Nous ne parlons pas à l'intervenante actuelle. Tentez, pour une fois, de comprendre que cela va beaucoup plus loin que l'analyse, ce qui veut dire : pas d'analyse. Cela va beaucoup plus loin, car il faut beaucoup plus d'intelligence pour ne pas analyser que pour analyser. Et comme vous avez beaucoup d'intelligence, vous y parviendrez. N'ayez aucune crainte, nous n'avons pas répété. Veuillez continuer votre question.

Est-ce que la télépathie est une sorte de lien ?

Tout à fait.

Est-ce qu'on peut contrôler nos pensées et celles des autres ?

Certaines personnes ont cette faculté de comprendre ce qui unit la forme elle-même. En d'autres termes, elles peuvent ressentir ce qu'une autre forme ressent, vit, et entrer dans une forme de pensée leur permettant de donner des réponses avant que les questions ne soient posées. Si vous aviez cette faculté, la personne à qui vous donneriez des réponses croirait que vous avez des dons de médiumnité. La télépathie consiste à être sur la même longueur d'onde qu'une autre personne. Certains le font sans s'en rendre compte ; ils ne font qu'émettre ce qu'ils entendent, pas plus que cela. C'est une forme de lien dirigé consciemment. C'est un très bon exemple de traduction dans lequel votre cerveau excelle. Ce que nous comprenons, c'est la force que vous avez maintenant pour affirmer ce que vous êtes. Vous êtes un très bon exemple, celui d'une personne qui aura su, avec beaucoup de crainte d'ailleurs, maîtriser une peur et la transformer en avantage, tout en s'affirmant. « Tout en s'affirmant » veut dire en affirmant la vie. C'est un gros avantage, et nous vous en remercions.

Est-ce qu'en mesurant nos pensées, on peut agir sur les liens ? Pouvez-vous développer cet aspect un peu plus ?

Mesurer vos pensées veut dire de les faire concorder avec des liens. Prenons la télépathie mentionnée dans la question précédente. Si vous vous concentrez dans une direction bien précise pour entendre ou traduire des liens que votre forme recevra, vous ferez alors des ajustements dans ce sens. Mais cela se passe à tous les niveaux. Ce dont nous vous avons parlé, ce sera en général dans vos formes, à tous les niveaux simultanément, pas seulement dirigé, mais en totalité. Cela veut dire aucune analyse, cela veut dire vivre ! Il n'y a pas d'autres mots. Nous apprécierions que, sachant cela, vous reformuliez votre question autrement. (Ceux qui n'entendent pas bien, comment se fait-il que vous ne l'ayez pas mentionné avant ? Nous ne portons pas toujours attention à ce fait. Si vous n'apprenez pas à demander, comment recevrez-vous ? En relisant cette session ? Comment poserez-vous vos questions alors ? Votre première question aurait dû être : nous ne vous entendons pas bien ; pourriez-vous faire en sorte que nous puissions le faire ? Et nous vous aurions dit : demandez à Françoise.) Ce point étant éclairci, est-ce que c'est mieux cette fois ?

Oui.

Donc, nos réponses seront plus claires – dans votre compréhension, bien sûr, pas dans l'essence même. Nous avons demandé que vous reformuliez votre question autrement...

Votre réponse m'a donné un certain éclairage...

Ce n'est pas le but : nous voulons donner l'éclairage total. Reformulez jusqu'à ce que vous compreniez ; si vous ne comprenez pas, d'autres ne comprendront pas.

Ce que j'ai compris, c'est que finalement on en revient toujours au lâcher prise : laisser tomber l'analyse, croire et le reste suivra.

Très brillant ! Mais qu'est-ce que le lâcher prise selon vous ? Puisqu'il faut le lâcher, il faut le savoir ! Qu'est-ce que cela implique selon vous ?

Être ratoureux [faire des détours] comme vous. Vous avez déjà répondu à plusieurs reprises.

C'est une remarque.

Le lâcher prise, c'est...

Ce que vous faites actuellement.

C'est de croire ?

Lâcher prise, c'est avoir suffisamment de foi en vous pour passer à l'acte et cesser de vous tourmenter pour des réponses que vous n'avez pas, puisque chaque solution, chaque acte que vous commettrez vous rendra différent. Comme vous ne pouvez avoir de réponse avant l'acte, il vous faut donc le faire. Lâcher prise, c'est avoir assez de foi pour pouvoir passer à l'acte sans hésitation, sans vous remettre en question. C'est être assez fort, avoir assez d'amour pour vous, pour pouvoir savoir en apprécier les avantages, quels que soient les résultats. Cela s'appelle : assumer ses choix. Voyez comme nous pouvons être claires !

J'aimerais comprendre davantage comment se passent les maux physiques ? Si je

comprends bien, ce pourrait être causé par la pensée ou par des liens ?

Ou encore par des efforts continuels dans quelque chose qui ne vous convient pas, ou par des gens qui ne vous conviennent pas, ou encore par l'établissement de liens contraires – le contraire dont nous parlions plus tôt – qui vous conduisent à des états d'être dont vous ne pouvez avoir aucune définition ni aucune idée de la provenance, et que vous vivrez. Nous ne sommes pas certaines que ce soit très clair.

Non.

Les liens physiques sont des liens entre ce qu'il y a entre la matière, de chaque côté si vous préférez. Donc, les liens sont ce qui est entre, ce qui programme les cellules de vos formes. Cette énergie peut être à vous ou à quelqu'un d'autre suivant l'ouverture consciente et bien souvent inconsciente que vous aurez de votre propre réalité. Prenons le cas d'une personne qui n'est pas très heureuse à son travail. Cela veut dire que, déjà, avant de s'y rendre, elle aura restreint au minimum l'énergie dans sa forme. Son énergie ressentira le non-besoin de développer l'énergie nécessaire afin de rendre une tâche agréable. Elle établira des liens déplaisants avec chaque événement qu'elle n'aimera pas dans cette même journée. Ce faisant, que fait-elle ? Elle confirme des liens non souhaitables pour elle et, plus tard, elle rencontrera des gens qui, comme elle – qui s'assemble se ressemble –, vivront des liens similaires. Et cela confirmera, encore une fois, qu'elle n'est pas heureuse. Quand cela vous arrive, vous n'en connaissez pas la provenance, parce que cela provient à la fois de vous et du milieu même car, rappelez-vous, l'Univers ou vos formes, c'est pareil. Donc, les matières, que ce soit une table ou autre chose, comprennent cela, reçoivent cela. Prenez des vêtements d'une personne décédée et vous comprendrez. Prenez un objet ayant appartenu à une personne que vous aimiez. Vous allez ressentir, et ce ne sera pas le lien psychologique. Dans votre travail, c'est la même chose : c'est tout le milieu que vous programmez. D'où le succès d'une entreprise ou sa perte ; d'où que les entreprises qui réussissent, comme les vies, savent s'entourer, savent choisir tout ce qui les entoure : de là l'importance de vous entourer uniquement de biens que vous ressentirez confortables, peu importent ces biens.

Cela veut-il dire que, même si je me retrouve dans des liens désagréables par ma propre pensée, je peux les changer de façon à ce qu'ils deviennent agréables ?

Expliquez-nous ce qu'est une pensée. Si vous avez bien compris ce que nous vous avons expliqué plus tôt, quelle était notre définition d'une pensée ? Une construction énergétique, une création ; ce n'est pas physique. L'erreur que vous faites tous, c'est de prendre une pensée et de vouloir la créer en vrai, en matériel. Ce n'est pas comme cela. Une pensée est déjà une création : c'est une construction d'énergie. Effectivement, vous pouvez la diriger en vous, mais en être conscient, c'est une autre chose. Sinon il ne suffirait que de dire à des gens qui sont malades physiquement : « Pensez à la santé et vous vivrez longtemps ; vous serez en forme ! » Cela ne fonctionne pas. Donc, les pensées n'ont pas ce pouvoir. Pour quelle raison, selon vous ?

...

Eh bien, selon nous, c'est parce que ces pensées sont aussi vite oubliées, et pour une raison fort simple : la seule façon existante – ouvrez bien tous vos oreilles – d'amplifier et de rendre vraie une pensée, c'est de ne pas hésiter une fois que vous aurez pensé. Et ce n'est pas ce qui se passe puisque vous remettez en question vos propres décisions. Lorsque vous doutez, vous savez ce que vous faites ? C'est très simple, vous dites à votre forme : « Continue les liens actuels, car je n'ai rien d'autre à te donner. » Votre forme établit des liens avec le milieu et vous continuez le même cercle, sans arrêt. N'a-t-il pas été mentionné que la foi déplacerait des montagnes ? Est-ce que la majorité de vos quotidiens ne sont pas déjà à ce point ? Est-ce déjà un peu plus clair ? Vous nous aidez lorsque vous ne comprenez pas. Posez-nous une longue, une bonne question. Vivez-la surtout ! Ne vous laissez pas déranger par nos propos. Vous avez ce qu'il faut pour peser cette question, pas longue en espace, mais en temps et en mots... Nous allons vous aider à la poser. Fermez les yeux pour ne pas voir ce qui vous entoure et dites-nous ce qui ne va pas. Ce sera votre question, vous verrez. Laissez votre forme s'exprimer. Vous êtes seule...

Est-ce que c'est l'espace physique qui a besoin d'être changé ou est-ce que l'espace physique n'a pas d'importance?

L'espace physique, c'est la réalité, c'est l'ensemble. Par contre, l'espace physique ou le lien physique a aussi son importance puisque le lien inter-matière n'existerait pas. Ce que nous voulons que vous compreniez, c'est que le physique réagit, se modifie constamment selon la valeur des liens établis, selon ce que vous aurez accepté ou rejeté et selon l'intensité de l'hésitation que vous aurez eue ou la valeur de la foi que vous aurez établie en vous, si vous préférez. Dans le passé, pour que ce soit plus facile à comprendre, nous l'expliquions en vous disant : « Si vous changez un tant soit peu, vous changerez ce qui vous entoure. » Un changement, cela veut dire que vous avez fait un pas, que vous avez fait une action pour vous changer. Une fois que c'est fait, il est normal que d'autres liens s'établissent. Que croyez-vous qui se passe dans une vie de couple lorsque des liens sont brisés, comme vous dites ? C'est très simple, ils ne se suivent pas. Vous direz qu'ils ne sont pas sur la même longueur d'onde, c'est pareil. Dysharmonie, manque, incompréhension, rejet ; voilà ce qui se passe. Et c'est pour cela qu'il est difficile de vivre à deux. La seule façon, c'est de vivre seuls à deux, dans le sens du respect total de chacun des deux. Personne ne décide. Vous décidez ce que vous ressentez, ce qui est bon, un point c'est tout. Mais vous avez appris à diriger, à faire des démonstrations de vos savoirs. Vous appelez cela de l'avancement, mais nous appelons cela du recul.

J'ai compris qu'il faut que j'oublie ce qui est à l'entour de moi, les situations, les endroits, que je me concentre sur...

Sur ce que vous aimez vraiment.

Sur ce que j'aime vraiment, mais sur moi, sur ce que je suis...

Oh ! plus important que cela, sur l'action à prendre pour continuer de faire le choix des liens que vous aimerez vivre, ce qui signifie d'être hyperconsciente de l'écoute totale et des choix que cela imposera. Si vous ne le faites pas, vous continuerez les mêmes liens. Et ces mêmes liens ne vous plairont pas. Et vous penserez que la vie, c'est de tourner en rond, que rien ne se passe et que c'est ennuyant. Effectivement, tout ce qui tourne en rond devient ennuyant. Très intéressante cette série de questions ! Nous savons apprécier cela !

Les personnes qui veulent faire de la guérison ou aider psychologiquement d'autres personnes...

Nous pouvons déjà faire une parenthèse pour répondre à cela ; vous pourrez continuer ensuite toutefois. Les gens qui ont ce goût, entre autres, ce goût de liens, sont des gens qui ont ce même besoin : se guérir eux-mêmes, trouver des relations de liens pour donner un sens à la vie, un sens aux formes. Ceux qui réussissent le mieux sont ceux qui s'aiment le plus, sinon comment pourraient-ils reconnaître l'amour chez quelqu'un d'autre et vouloir le retransmettre dans les soins ? Bonne question, n'est-ce pas ? Mais vous pouvez continuer.

Ces personnes-là doivent se protéger continuellement. Alors comment peuvent-elles se protéger du contact des cellules malades pour ne pas s'exposer à des liens avec ces personnes ?

Sans connaissances. D'ailleurs, vous y êtes tous constamment exposés. C'est donc au niveau de la conscience que vous devrez établir cela. La conscience dont nous parlons n'est pas la conscience du fait, mais la conscience de la vie elle-même, de la totalité des responsabilités que cela implique. Faire en sorte d'être à toute épreuve est très difficile parce que cela voudrait dire le contraire de soigner, cela voudrait dire de retransférer une grande part de ces liens en vous de façon à pouvoir comprendre la totalité de la maladie. Cela a souvent des implications très profondes. C'est ce que la médecine a compris en voulant soigner avec des produits chimiques ; il y a beaucoup moins de risques. Dans votre monde, très peu de personnes ont été capables d'enlever la maladie comme telle, parce que la seule façon de l'enlever, c'est de la prendre. Cela suppose de replacer des liens dans leur sens, dans leur direction, de les reprogrammer au complet. Cela prend une forme totalement consciente, pouvant localiser chez l'autre l'endroit où ces liens se sont déstabilisés. Ce faisant, elle redonne ses liens pour reprendre ceux des autres et, sachant cela, elle rejette d'elle-même consciemment ces liens qu'elle a repris. Voilà la vraie façon de passer à travers. Ceux qui se rapprochent un tant soit peu de cela ressentiront des fatigues intenses, autant psychologiques que physiques. Bien sûr, ces personnes soulageront les gens qui viendront les consulter, mais elles ne les guériront pas nécessairement. Une question pour vous : si nous plaçons sur une table un objet que vous convoitez, que faites-vous ?

Je le prends.

Tout à fait. N'est-ce pas la même chose avec une maladie que vous voulez enlever ?

J'imagine...

N'imaginez pas ! C'est cela.

Ne serait-il pas mieux de donner à la personne des outils ou la compréhension de sa maladie pour qu'elle se soigne elle-même ?

Comment voulez-vous le faire ? Vous êtes-vous rendu compte du nombre d'heures que nous avons mis avec vous et des efforts que vous avez dû faire en vous pour comprendre, pour vouloir cela ? Si vous étiez dans un état de programmation de liens défavorables, vous savez ce que vous voudriez ? Juste une chose : non pas comprendre, mais guérir. Donc, dans certains cas, vous pouvez soulager si vous établissez des liens de confiance énormes et profonds, mais c'est plutôt rare. Dans les cas où cette confiance sera vraiment établie, vous pourrez soigner, mais vous n'aurez rien fait. C'est cette personne qui se sera elle-même débarrassée de ses liens. C'est pourquoi certains patients guérissent avec certains médecins traditionnels et que ces médecins ont beaucoup de succès. Ils ont appris, à force d'expérience, à établir des liens de confiance entre eux et leurs patients. Rappelez-vous que la confiance est aussi une forme de foi. Si ces gens savent enlever l'hésitation de leur talent, vous les croirez et, en les croyant, vous croirez en vous. C'est ce qui fait que ces gens guérissent aussi, selon certains soins, certaines méthodes. Une personne qui est impliquée dans la guérison des autres ou encore dans le traitement, ce qui en est une autre phase, c'est une personne qui, elle-même, devra être non seulement bien avec ses propres liens, mais heureuse et consciente de ce qu'elle fait. C'est la seule façon de vivre heureux dans cela. Dans une session antérieure, nous avions mentionné que la majorité des infirmières n'avaient pas ces maladies. Pour quelle raison ? Pour la même raison : elles apprennent à s'ajuster à ce qu'elles vivent. Il n'y a aucune place pour des liens dans ce sens parce qu'ils sont inférieurs à la volonté et trop différents. C'est pour cela que, si vous introduisez une personne qui a une grippe ou un rhume dans un groupe de 30 personnes, 4 ou 5 l'auront mais pas les autres. Ces 4 ou 5 personnes sont prêtes à l'avoir, ont déjà établi des liens dans ce sens : fatigue chronique, recherche de fatigue, de raisons de l'être. La porte est ouverte. C'est pourquoi certaines personnes ne sont pas malades : elles trouveraient trop d'avantages à l'être.

Quand on en fait la demande à l'Âme, est-ce qu'elle aide aussi à la guérison ?

Ce qu'il faut comprendre, c'est qu'il en ira selon le taux de foi que vous aurez dans cette même énergie qui circule dans ces liens, selon la foi que vous aurez établie. Le niveau de cette foi décidera du résultat. En d'autres termes, votre forme n'est pas autre chose que de la matière malléable en tous points, consciente de sa malléabilité. Ce qui veut dire que si vous vous concentrez sur le mal lui-même, rien ne se fera. Par contre, vous pouvez vous concentrer sur ce qui est entre le mal, l'Âme entre autres, et nous-mêmes aussi car, lorsque vous pensez à nous, c'est une autre hauteur de liens, une autre différence que vous établissez. Et même si ce n'est pas nous, vous établissez d'autres liens pouvant nous rejoindre, et cela passe à travers vous. C'est ce que nous avons fait à travers cette forme [Robert] lorsqu'elle souffrait, pour lui faire voir autre chose, ce que nous vivions nous-mêmes dans cela. Donc, vous avez raison, mais vous pouvez aussi avoir tort, selon ce que vous voudrez accepter, selon ce que vous voudrez vivre à travers cette expérience. Si la maladie sert à couvrir un fait de votre vie qui ne va pas bien, il en ressortira très peu de résultats puisque cela recommencera, là ou ailleurs. De là l'importance en premier, comme dans la toute première question de cette session d'ailleurs, de réaliser graduellement des changements, sans courir, sans vous faire peur, et surtout de les accepter au fur et à mesure. Peu importent les résultats, ce seront des résultats ! Mais sans action, pas de résultat.

Je suis très heureuse de faire partie de ce groupe.

Nous en sommes aussi très heureuses.

J'ai repris le goût de vivre.

Dans ce cas, vous êtes un avantage.

Je crains d'être indiscrète. Pourquoi faisons-nous partie des 16 groupes que vous gardez dans le monde ?

La raison ? Il vous faut vraiment une raison ? Votre goût de vivre n'est pas déjà une bonne raison ? Regardez autour de vous ici et montrez-nous des gens qui ne veulent pas vivre ; vous verrez qu'ils sont peu nombreux. Ce qui les différencie, c'est leur volonté, l'intensité qu'ils mettront à vivre. Vous avez découvert un goût ; d'autres l'ont déjà, mais n'en sont pas conscients. Vous en êtes au point de chercher une raison ; ce n'est pas notre cas. Nous avons trouvé qu'il y avait suffisamment de raisons dans l'ensemble total que vous représentez pour que nous puissions continuer. Si cela avait été le contraire, nous aurions dissous le groupe, et vous auriez eu beaucoup de matière pour quelques années. Vous avez tous des raisons individuelles, et nous avons autant de raisons d'apprendre. N'est-ce pas intéressant ? Donc, ce n'est pas une raison totale, mais un but commun. En ce qui vous concerne, ce n'est pas seulement d'aimer vivre. Enlevez « aimer » et gardez seulement « vivre », parce qu'une fois que vous saurez comment vivre, vous aimerez cela. Lorsque nous disons « vous », nous parlons de l'ensemble.

Vous dites que la pensée est une construction d'énergie. Deux mots me viennent en tête qui me semblent contradictoires : objectif à court terme et impulsion. Doit-on agir sur la pensée immédiate, sur l'impulsion, ou se fixer des objectifs à court terme ?

Oh ! nous comprenons fort bien ! Vous tricotez beaucoup, et ce serait un passe-temps fort bien pour vous. Fixer des objectifs, qu'est-ce que cela veut dire ?

Dans ma tête à moi, c'est d'essayer de se dépasser.

Très bien. Mais pour essayer de vous dépasser, il vous faut un point de départ, la base actuelle. Normalement, un objectif futur signifie prendre des moyens pour vous rendre d'un point à un autre. Cela suppose des expériences et aussi que, dans vos têtes, vous essaierez de passer outre aux expériences qui pourraient être nuisibles dans un sens, désavantageuses dans un autre. Qu'est-ce que cela veut dire ?

C'est négatif dans ma tête.

Tout à fait. Cela signifie vous empêcher d'avoir des expériences, les contourner.

Si je comprends bien, il faut toujours vivre selon l'impulsion du moment.

Qu'entendez-vous par impulsion ? Parce que nous avons une autre définition de cela.

Ce que j'entends par impulsion, c'est que s'il me passe une idée par la tête, il me faut l'exécuter tout de suite, sans attendre.

Bon ! très bien. Pouvons-nous vous dire que s'il vous vient un exemple dans le coeur, il passera aussi par votre tête ? Cela veut dire que la prochaine fois que vous aurez une décision à prendre, ressentez-en la valeur. Si, pour être confortable dans le résultat, ce devait être une expérience moins agréable à vivre, cela veut dire que vous devrez y passer, car si vous la contournez, vous reviendrez au même point parce que ce ne serait pas complet.

Si le positif et le négatif n'existent pas, puisque c'est un fait, aucune expérience ne l'est. Donc, l'expérience doit avoir lieu. Mais vous préférerez les mots hasard, futur. Certaines personnes disent que c'était prédestiné dans leur vie ; c'est aussi une erreur puisque vous avez tous la même force de faire en sorte que rien n'arrive et de faire des choix, des changements. Là où cela ne va pas, vous savez, dans le sens de votre question, c'est que vous allez être portée à analyser chaque conséquence. Voilà ce qu'est la planification, c'est voir toutes les possibilités. Mais c'est impossible puisque vous verrez seulement les possibilités qui vous sembleront acceptables et, souvent, cela vous fera faire mille détours. Ce sont ces détours que vous n'aimerez pas puisqu'ils imposeront des délais et que vous n'êtes pas très patiente à ce niveau. Vous aimez ce qui est rapide ; vous n'avez pas à prendre de raccourci. C'est votre caractère et, si vous ne respectez pas ce fait, vous allez vous choquer. Est-ce assez clair ?

Oui.

Est-ce qu'un lien entre deux Âmes peut être fort au point qu'on pourrait appeler cela des Âmes jumelles ?

Quelques instants que nous comprenions profondément le sens de votre question, parce que nous savons qu'elle n'est pas superficielle. Fort bien ! Vous savez, cela rejoint aussi la définition des Âmes soeurs, du coup de foudre aussi en grande partie, dans le sens que vous avez établi des liens directs. Ce n'est pas vous, c'est l'Âme qui établit ces liens, en fait. Lorsque cela se produit, elle vous les fait vivre. Rappelez-vous, vous traduisez. Bien souvent, vous vous direz : « Mais je n'ai rien de commun avec cette personne. Aucune chance que cela fonctionne ! » Et ce serait vrai puisque cette autre personne pourrait vivre des liens très matériels ou encore des liens fortement exprimés dans des mouvements, ce qui ne serait pas votre cas. Par contre, les liens que l'Âme aura établis pourraient être très harmonieux. Rappelez-vous ce que nous avons dit tant de fois : ce qu'elles veulent vivre ensemble, elles prendront les moyens d'y parvenir ; il faut du discernement dans cela. En d'autres termes, comment réagira une personne qui se fout carrément de l'Âme, de cette possibilité réelle qu'elle représente ? Très simplement, avec des réactions de forme, en subissant sans comprendre, en n'acceptant pas sa vie, en se refermant sur elle-même, en refusant sa réalité de vivre et ce, sans compréhension. Cela entraîne souvent la violence psychologique ou physique. De là l'importance de comprendre ce que sont vraiment les liens, non plus les espaces mais les liens, puisqu'ils ont la même réalité. Nous disions que ces liens auraient la même valeur que ceux de vos formes. Si vous vouliez comprendre cela autrement et plus rapidement, nous vous dirions que l'Âme est aussi importante que votre forme dans cette expérience. Si vous ne voulez pas être consciente de cela, elle prendra la place à vos dépens, et vous vivrez quelque chose que vous ne comprendrez pas et que vous n'aimerez pas non plus. La maîtrise des deux côtés. Vous avez une sous-question à cela ?

En relisant, ce sera plus clair.

Donc, recommencez votre question autrement. Nous ne voulons pas que vous lisiez, nous voulons que vous compreniez. Vous savez, avant de répondre à une question, nous nous assurons de la façon dont elle a été comprise par les autres et nous nous assurons ensuite que notre réponse soit aussi comprise, sinon cela donnerait quoi ? Rien. Nous avons répondu à votre question parce qu'elle répondait en partie à plusieurs personnes, mais pas à la totalité, et vous faites partie de cette totalité. Donc, reformulez cela très simplement ; les faits sont simples.

***S**upposons que j'aie une copine. Est-ce que je peux être Âme jumelle avec elle ?*

Pour faire quoi ? Quels liens établirez-vous ? Quels buts ces liens auraient-ils ? Vous pouvez même, avec une copine ou un copain, développer des liens qui iraient au-delà du physique, physique inclus, bien sûr.

Cela pourrait aller aussi loin que cela.

Avec une femme, cela devient difficile.

Ça dépend pour qui. En ce sens que d'autres l'ont déjà fait, mais nous ne parlons pas pour vous. Vous nous parlez de liens et nous vous parlons des possibilités de se rendre jusque là. Il faut comprendre qu'entre deux êtres humains, ce n'est plus une question de sexe lorsqu'ils dépassent une certaine compréhension. Que ce soit de l'homosexualité ou une autre forme de sexualité, ce n'est pas seulement une question de goût. Ces gens établissent souvent des liens qui leur manquent ou les découvrent. Ce n'est donc pas la question du sexe que nous voulons aborder ici, mais la simple compréhension d'une possibilité qui pourrait se produire. Il faut bien que vous compreniez que, lorsque vous poussez de tels liens à un niveau aussi profond, l'Âme se fout totalement de votre sexe. Sachez cela ! Donc, vous établissez des liens à cette profondeur, puis vous les établissez encore plus profondément. Alors, vous ne voulez plus quitter ce lien puisqu'il y a confort. Et pour rendre ce confort non seulement probable mais réel, à long terme et sans comprendre, vous établissez d'autres liens. La première chose dont vous vous rendez compte, c'est que les liens sont rendus beaucoup plus loin que vous ne le pensiez. Il est difficile pour vous de comprendre et surtout d'accepter ce que nous venons de vous dire ; mais nous ne voyons pas comme vous voyez. Vous pouvez vivre une relation d'amitié si vous voulez, aussi profonde que vous voudrez, mais vous établissez des liens. Et plus ces liens s'établissent, plus ces contacts s'établissent, plus les réalités changent parce que vous changerez en acceptant des liens. Nous sommes conscientes que cela ne finit pas toujours dans des couchettes, mais nous sommes aussi conscientes du contraire, dans plusieurs cas. Écoutez bien. Il faut aussi comprendre, dans ces exemples, que ces mêmes liens peuvent causer d'autres limites, des incompréhensions – cela sera un peu plus difficile à comprendre –, dans le sens que vos formes physiques tenteront de s'adapter à ces liens, tout comme la maladie se copie. Vous nous parlez de deux personnes du même sexe... Que pensez-vous qui se produit profondément, à moins que les liens mentionnés ne soient pas aussi profonds que vous le dites ? Des liens aussi profonds se terminent habituellement par la compréhension d'un amour profond, pas nécessairement pour l'autre, mais pour vous-même puisque cela devient un miroir de vous, puisque l'autre Âme est comme la vôtre. Pas trop d'entourloupettes ? Vous nous suivez bien ? Voilà ce qui se passe. Le temps que cela prendra n'a pas d'importance.

À ce moment-là, est-ce que je peux avoir d'autres Âmes jumelles ?

La vôtre, ce n'est pas assez ? Vous rendre semblable à vous-même... En d'autres termes, ajustez la matière à l'énergie de votre Âme, établissez des liens. Ce que cela fera ? Vous saurez reconnaître, mais vous reconnaîtrez aussi que rien ne surpassera les vôtres, ce qui vous permettra de comparer au lieu de vous ajuster. C'est ce qui fera que vous serez originale. C'est ce qui fait que certaines personnes ressortent comme si originales au milieu des autres et qu'elles s'en foutent vraiment parce qu'elles sont bien ainsi. Voyez que votre question est allée beaucoup plus loin que la première ! Nous aimerions une autre question de vous.

Personnelle ?

Posez donc cette question qui vous fatigue tant !

Mon travail présentement...

Sur vous-même ou physique ?

Concernant mon nouveau travail, ma carrière...

Ne prenez pas l'habitude de questions personnelles. Si nous accordons une réponse, c'est que nous avons une raison, vous comprendrez bientôt.

Je voudrais savoir dans quel domaine...

Très bien ! Nous allons déjà y répondre, et cela en touchera d'autres sinon nous n'aurions pas permis cette question. Ne serait-ce que ces 16 derniers mois, comment diriez-vous que vous avez réagi ? Que s'est-il passé de majeur dans votre vie ?

Changements.

Qu'avez-vous fait le mieux dans ces 10 derniers mois ?

Confiance en moi.

Apprendre à avoir confiance en vous. Deuxièmement, vous avez appris autre chose : à avoir confiance dans les résultats. Troisièmement, vous avez et vous êtes sur le point d'apprendre aussi qui vous êtes, et il y a bien 15 de vos années que vous recherchez cela. Trouvez une réalité, trouvez un but. Tout ce que vous avez fait avant allait dans le même sens : des emplois qui vous convenaient sur le coup et ne vous convenaient plus par la suite. L'un après l'autre ! Le dénominateur commun à cela ? Vous étiez écoeurée de chaque emploi et des gens autour de vous aussi. À chaque fois, vous avez voulu tout balancer, vous y compris. Dans le fond, vous nous dites : « Je suis foutument écoeurée de chercher, et j'aimerais pour une fois trouver quelque chose sans m'embêter constamment. Mais je passe mon temps à changer, à vouloir me comprendre et à faire le point ». Votre question aurait pu continuer en disant : « J'ai cherché l'amour ; j'ai cru le trouver, mais ce n'était que pour me rendre compte que c'est moi que je cherchais. » Ce n'est plus le temps de jouer à la petite fille ! Ce temps est passé et vous le savez fort bien. Ce qui compte dans cela, c'est que vous réalisiez pour une fois dans votre foutue vie que vous êtes rendue au point d'accepter ce qui s'est passé, incluant tous les changements et tous les gens. Vous pouvez tout remercier, même votre caractère, pour vous être rendue aujourd'hui au point de vouloir changer vraiment. Oh ! ce n'est pas seulement de changer une coiffure qui changera cela ; c'est bien plus que cela ! Ce n'est pas seulement de vouloir chercher un domaine profond intérieur qui changera cela non plus, mais la réalité. Vous nous parlez de carrière ? Ce n'est pas une carrière que vous cherchez, mais la personne qui pourrait avoir une carrière : *vous*. Nous avons une question : quel avantage avez-vous actuellement de vivre ? Trouvez un avantage majeur. Quel goût avez-vous de continuer afin de trouver un avantage dans cette vie ?

Le goût d'aider les gens.

Et qu'avez-vous fait ? Commencez par « J'ai cherché à... »

Me comprendre moi-même.

Tout à fait. Donc, la façon de vous retrouver dans votre cas, sera d'aller vers les autres, comme vous l'avez fait dans tout votre passé. Même lorsque vous aviez 12 ans, vous avez cherché une comparaison. Vous nous avez mentionné un peu plus tôt une Âme soeur, n'est-ce pas ? Quel est le point commun entre vous deux ?

Sûrement le même.

Le même. Vous vous... cherchez, voilà. Vous vous cherchez toutes les deux et votre point commun, c'est cette harmonie de recherche. Maintenant, quant à savoir quelle est la solution, puisque c'est ce qui suit logiquement, êtes-vous sûre de vouloir que nous y répondions ? Et si notre réponse n'était que dans un mot ?

Parfait.

Con–ti–nuez. Continuez, pour une seule raison : personne, dans le passé, n'a réussi à vous changer de force. Pourquoi devrions-nous le tenter, nous, puisque tout ce que vous avez voulu vivre, vous l'avez choisi vous-même. Que vous reste-t-il à faire ?

Continuer.

Et qu'est-ce que ce sera vraiment ? Ce sera un... Cela commence par *a* et finit par *e*.

Avantage.

Tout à fait. Et si vous ne voulez pas voir cela, que verrez-vous ? Cela commence par *d*.

Désavantage.

Si vous vivez un désavantage, que vivrez-vous ? Cela commence par *p*. Votre passé. Et vous savez ce que c'est ? Levez-vous debout, et tenez-vous juste sur une jambe. Où voulez-vous aller comme cela ? Vous sentez-vous en équilibre ?

Pas du tout.

Dans ce cas, pourquoi faire du surplace ? N'est-ce pas un désavantage d'être en déséquilibre ?

Oui.

Mais quel avantage avez-vous eu à le faire alors ? Quel est l'avantage d'avoir fait cet exercice ? Forcez-vous un peu, sinon nous vous dirons la réponse. Vous aurez compris qu'il était désavantageux d'être en déséquilibre et de faire du surplace, et que de continuer n'avait qu'un seul but : peu importe ce qui se passera, il y aura avantage. Est-ce mieux compris ?

Oui.

Que vous reste-t-il à faire ?

Continuer.

Et ce sera...

Avantageux.

Très bien, vous avez compris.

Au sujet des liens entre les Âmes, quel est l'avantage des liens entre les mêmes Âmes dans différentes vies ?

Dans quel sens posez-vous cette question ? Parce que nous pourrions vous donner au moins trois réponses différentes, selon l'expérience des gens ici présents.

Deux Âmes qui se retrouvent dans plusieurs vies...

Comment le savent-elles ?

Parce que vous me l'avez dit vous-mêmes.

Bien envoyé ! Lorsque deux Âmes vivent des liens, c'est qu'elles ont à apprendre dans cela, mais elles n'ont aucune assurance que les formes le comprendront. Si vous n'avez aucun sens de ces liens et que vous subissez – nous ne parlons pas dans le meilleur mais dans le pire des cas –, vous aurez des réactions et vous ne comprendrez rien. Et si l'autre a un caractère plus fort que le vôtre, vous subirez. Il n'y a aucun avantage à cela. Par contre, si ces liens sont conscients et si vous les vivez sans les comprendre, inutile de vous poser des questions, il y a harmonie. Et lorsque deux formes sont en harmonie et qu'elles n'en cherchent même pas la raison, il y a entente. C'est lorsque cela ne va pas qu'il y a mésentente. Qui a raison plus que l'autre ? Vous savez, dans ces cas, l'harmonie est très loin. Il est difficile de répondre totalement à cette question puisqu'il y aurait mille et mille façons d'y répondre. Il y a des avantages et il y a des désavantages, dans le sens que certaines personnes sont totalement conscientes des liens entre les Âmes, mais que font-elles avec cela ? Elles ne vivent pas leur expérience ; elles vivent l'expérience des autres en tentant de s'harmoniser à tous ceux qui les entourent. Il y en a qui changent quotidiennement de tempérament, selon les gens qui les entourent. Il ne s'agit pas seulement des liens entre la matière mais d'une forme de jeu, même entre les Âmes, pour voir à quel point cela peut fonctionner. Rappelez-vous, vous êtes très malléables.

Quand on refait un lien avec une autre Âme...

Consciemment ?

Oui.

Cela exigerait une forme totalement consciente et à l'écoute d'elle-même dans sa totalité. Cela supposerait une forme qui saurait apprécier ce qui arrive, tout en sachant aussi avoir réponse à tout, pas réponse à toutes sortes de problèmes mais à ce qu'elle doit faire. Il n'y en a pas ici, ce qui ne veut pas dire qu'il n'y en aura pas. Continuez votre question.

Consciemment... C'est qu'elle avait quelque chose à apprendre avec cette autre Âme ?

Mais vous avez tous quelque chose à apprendre entre vous. Vous savez ce que c'est ? L'originalité ! Que vous l'appreniez avec vous-même ou avec quelqu'un d'autre. La seule réponse à cela, c'est que si vous avez suffisamment de force en vous, vous l'apprendrez avec vous-même puisque vous n'aurez pas besoin de l'autre pour le faire. Dans un sens, vous avez tous le même âge, tous la même provenance, mais vos niveaux de conscience sont différents et vos volontés sont différentes. Actuellement, le problème de vos sociétés, de vos individualités, c'est que vous cherchez trop. Vous cherchez aussi constamment en société, en groupe, à deux, entre autres. Oh ! il n'y a pas de problème à faire des recherches dans ce sens, mais si vous basez votre vie sur une autre vie, vous n'aurez très certainement pas les réponses que vous voudrez puisqu'elles ne seront pas les vôtres. Il y aura une porte de sortie, vous pourrez vous y habituer, et cela ne vous rendra pas plus heureux. Vos cheminements sont individuels et, lorsque vous serez capables de les vivre en société, vous ne parlerez même plus de couples puisque ce ne sera plus nécessaire. Vous êtes loin de tout cela puisque vous en êtes encore aux recherches, surtout à la recherche de valeurs individuelles, qui ne sont qu'appréciables actuellement. Demain ? Cela dépendra.

Relisez bien. Pour que cela fasse une différence, ressentez où cela se passera en vous en relisant. Apprenez à apprécier ce que vous ressentirez. C'est comme cela que vous comprendrez ce qui changera. Des personnes ont encore des questions et d'autres avaient espéré un bain d'énergie. Oubliez cela ! Nous n'allons pas faire cela dans vos formes. Pas actuellement. Premièrement, cette forme [Robert] ne pourrait le subir. Deuxièmement, nous ne voulons pas vous donner le sucré avant l'amer. Pour quelle raison ? Parce que vous feriez comme les enfants ; vous ne demanderiez que le sucré et ce serait donner des caries à votre Âme ! Rappelez-vous bien que cela implique des changements ! Vous avez eu des remises en question, des prises de conscience différentes, des changements que vous avez cru vous imposer. C'était bien pour vous, mais cela ne veut pas dire que ce serait bon pour tous. Nous vous avons donné ce que vous méritiez ; sachez en profiter ! *(Session générale, II, 06-02-1993)*

Vous avez tous notre amour.

Oasis

Pour l'ensemble de nos activités d'édition,
nous avons reçu l'aide financière
du gouvernement du Canada
(programme d'aide au développement de l'industrie
de l'édition et de la chaîne du livre)
et du gouvernement du Québec
(programme d'aide aux entreprises du livre et à l'édition
spécialisée, et programme de crédit d'impôt).